JN032582

ココロさえずる
野鳥ノート

著 mililie

（イラスト・文：YUKI、文：中嶌真平）

私は、虫や小動物を捕まえてきては、
母をギョッとさせるような子でした。
とにかく絵を描くことと生きものが大好きで、
美大の日本画科に入学したのも、日本画という世界に、
自然と向き合う魅力を見出したからかもしれません。

一方、夫は幼少の頃からピアノを学び、
10代でプロギタリストとして活動するほど
音楽漬けの人生を歩んできました。

対照的な2人ですが、私の大好きだった
バードウォッチングを夫にも勧め、
一緒にたくさんの鳥たちに出会ってきました。
今では、夫は海外の論文を読むほど鳥が大好きになっています。

この本は、そんなイラストレーターと音楽家の作った
ちょっと変わった野鳥の本です。

誰かの観察ノートをのぞき見ているような気分になれる。
そして、読み進めていると、
まるで鳥について一緒に知っていくような体験ができる。
そんな不思議な気分になれる本に仕上がっていると思います。

大切にしたのは「鳥好きのリアルな視点」です。

図鑑やHow to本ではけっして味わえない、

リアルな体験をこの本では表現してみました。

今回は厳選した60種の野鳥と、その関連野鳥40種、

合計100種の野鳥たちが登場します。

鳥たちの可愛さや野鳥観察の楽しさ、

そして、鳥を知る喜びがこの本でお伝えできれば幸いです。

それでは、

私たちの『ココロさえずる野鳥ノート』をお楽しみください。

mililie　YUKI

【 CONTENTS 】

4

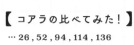

音声について

本書では、二次元コードから
野鳥の鳴き声などの
音声を楽しめます。

野鳥ノート 　　バードリサーチ
音声視聴リスト 　鳴き声図鑑

視聴方法

1

ページ内の二次元コードか
上の二次元コードをスマートフォン
などで読みとる。
もしくは、WEBで下記URLを入力

https://www.youtube.com/channel/
UCihXaX8NQOKIljSgYJmhaJw

2

YouTubeチャンネル内の
『野鳥ノート音声視聴リスト』に
アクセスし、音声を再生

（インターネットに接続できる環境で
　ご利用ください）

※本書の音声は、特定非営利活動法人
バードリサーチのホームページ内にある
「鳴き声図鑑」の音源を借用しています
（アカショウビンを除く）。

この本によく出てくる用語

【さえずり】
おもに、なわばり宣言や求愛のときに
出す鳴き声のこと。

【種】
生きもの（鳥）を分類するための、
最も基本となる単位。

【仲間】
本書では、分類上、目・科・属などが
同一の鳥を仲間と表記する場合がある。

【夏鳥】
春に南方より飛来して繁殖し、
秋までに南方へ移動して越冬する鳥。

【冬鳥】
秋に北方から飛来して越冬し、
春までに北方へ移動して繁殖する鳥。

【日本固有種】
日本国内にだけ生息・分布する鳥。

【幼鳥】
卵からかえって羽が生えそろい、
初めて羽が生え換わるまでの赤ちゃん鳥。

【若鳥】
幼鳥から成鳥の羽に生え換わるまでの
若い鳥。

【成鳥】
羽色の変化がこれ以上起きない
年齢の大人の鳥。

【全長】
鳥を寝かせた状態で計測した、
くちばしの先から尾羽の先端までの長さ。

【足・脚】
鳥の踵（かかと）から先を足、
脚全体を脚と表記した。

【ホバリング】
素早く羽ばたくことで、空中の一点で
浮いているように見える飛び方。

【餌・食料】
鳥が他者（鳥や人）から
受け取るものを餌、自分で得たものを
食料や食べ物と区別して表記した。

【レッドリスト】
絶滅のおそれのある種のリスト。
この本では、絶滅危惧種の鳥には
ページの右上のチェックボックスに
チェック ✓ が入っている。

CR：絶滅危惧ⅠA類

EN：絶滅危惧ⅠB類

VU：絶滅危惧Ⅱ類

NT：準絶滅危惧

引用元：
環境省レッドリスト 2020

【mililie Koala】
mililie のマスコット的存在。
たまに失敗し、
たまに偉そうに
解説したりもする。

6

PART

1

野鳥を感じる
日々のくらし

我が家の窓から見える鳥
一年を野鳥と過ごす

私が一番運がいいなと感じるのは、我が家のお向かいが立派なお庭をお持ちだということです。四季折々、さまざまな花や木の実が楽しめて、それを目当てに多くの野鳥たちが訪れる素敵なお庭。そして少し歩けば、大きな都市公園の緑も豊かです。この本の最初に紹介するのは、我が家の窓から見える私にとって身近な野鳥たちです。

「ギャーギャー」と鳥が大騒ぎする声で目を覚ますことがある。そんなときは、たいていオナガとヒヨドリが朝から大ゲンカ。それにしても鳥の朝は、すごく早い。

仕事中は窓を開けて新鮮な空気を取り込んでリフレッシュ。そんなとき花の香りや鳥の鳴き声がひとときのいやしをくれる。

窓際の木には 年中たくさんの鳥たちが
やってくる。
コーヒーを飲みながら、外を眺めていると
幼鳥たちの日々の成長を感じる瞬間も。

テラスからは都市公園の緑が見える。
黒い影が絡みあって大空を飛ぶときは
双眼鏡をのぞいてみる。
カラスがオオタカに嫌がらせ(モビング)
をしている様子が見られることも。

Living Room　Terrace

小さい双眼鏡をいつも窓際に
置いていて
すぐに鳥を観察できるようにしているよ

9

シジュウカラ【四十雀】

我が家のアイドルといえば
シジュウカラです。鳴き声
が可愛く、窓際の木に止ま
ってくれると一気に我が家
の空気が華やぐ！ 双眼鏡
でのぞきながら悶絶する
日々です。一年を通してい
ろいろな群れをつくって訪
れてくれます。

翼には白いライン

背中は
イエローグリーン

全長15cmほど

オスとメスの見分け方

〈オス〉

ネクタイが
太いのがオス

〈メス〉

鳥のパートナーのことを
「番(つがい)」と呼ぶ

ネクタイが
細い

さまざまな鳴き声を使い分け、仲間たちに
複雑な情報を伝え、会話をしている。

驚くことに「単語」を組み合わせて
「文章」をつくっていることもわかった。

ムムム…、
敵が
接近中！

ピーツピ=警戒しろ
ジジジジ=集まれ
ピーツピ ジジジジ=警戒しながら
集まれ！

日本の学者さんが世界で初めて
動物の言語を解明した驚きの発見だネ！

10

我が家の近所には、大きな都市公園がいくつかあり、そこからやってくるシジュウカラをよく見かける。一年中見られるが、季節によって行動する群れが変わるのがよくわかる。

・家族だけのグループ・

まだ肌寒い春先に見られるのは、
2羽のカップル。
しばらくすると、幼鳥をつれた
家族の様子が観察
できるようになる。

親
←まだ色がうすい
←ポヤポヤ
黄色っぽい
〈幼鳥〉

ポヤポヤの羽毛はなくなる
←成長してる！
まだうすい
〈若鳥〉

・若鳥たちのグループ・

夏は、若鳥だけのグループを見かける。このグループは、親元を離れそれぞれのすみかを決めるまでの一時的な群れと考えられる。

冬は、成鳥・若鳥混合の群れで行動する姿が見られます。この群れは、寒い冬を乗り越える仲間たちです。基本群とも呼ばれ、血縁でもなくたまたま同じ場所をすみかと決めた、いわばなりゆきでできた集団。コミュニケーション力が高いといわれるシジュウカラは、時期に応じて、群れのメンバーを変えながら暮らしているのです。

キジバト【雉鳩】

もう家族同然に感じている
のがキジバトです。いつも
我が家のお向かいのアンテ
ナに止まっているから【ア
ンテナ太郎】と呼んでいま
す。何年も一羽で暮らして
いましたが、去年は見事カ
ップルが成立していてホッ
としました。

水色のシマシマ

赤茶色の
うろこ状の
ふちどり

全長33cm
ほど

むっちり
した印象

住宅地や山地の森など
生息の環境はとても広い。
都市部では比較的自然が残る
環境に生息している。

デイスプレイ飛行

翼と尾羽を水平に広げて滑空することがある。
この飛び方はナワバリを誇示する行動だといわれる。

高い木など
目立つ場所で鳴く

デーデー
ポッポー

デー
デー
ポッポー

よく聞くキジバトの鳴き声は
メスを呼んだり、ナワバリ宣言の
意味がある。

最初は、アンテナ太郎と呼んで親しんでいただけだったが、暇なときに暮らしを調査してみることにした。すると、同じような場所で同じような行動をする法則性を発見した！

ご近所MAP

都市公園

よくディスプレイ飛行を行う場所

スィー

この木でよく寝ている

Z Z Z

よく鳴いているアンテナ

我が家

羽づくろい

いつも2羽で行動している。

調査を始めて2年め。初めてつがいで行動する様子を観察できた。まだ巣づくりや繁殖を観察できていないが、そのうちアンテナ太郎ジュニアが見られる日が来るかもしれない。

キジバトは雌雄同色なうえ、個体の羽色の違いがほぼありません。私が親しんでいるアンテナ太郎は、時々別個体に入れ替わっているかもと不安になります。しかし、毎朝同じアンテナで鳴くので、その子をアンテナ太郎と信じています。よく観察した結果、キジバトの暮らしを少し知ることができたのは大きな収穫です。

ツバメ 【燕】

近所の商店のご主人はツバメの飛来を楽しみにされていて、毎年迎え入れる準備をしています。必ずしも同じ個体とは限りませんが、毎年戻ってくるツバメ。ご主人が見守ってくれるので安心して子育てができるのかもしれません。

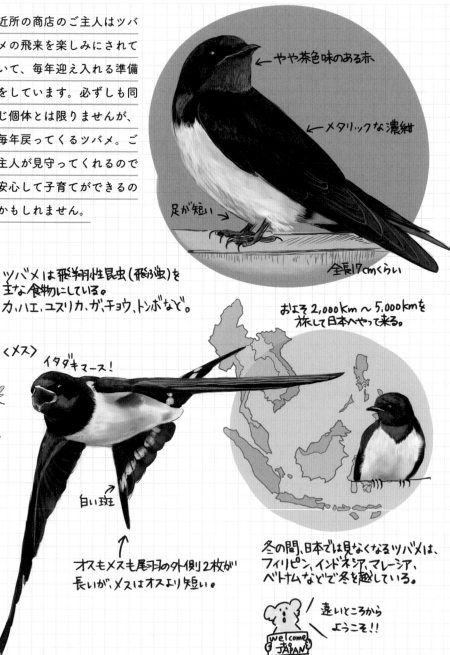

← やや茶色味のある赤

← メタリックな濃紺

足が短い →

全長17cmくらい

ツバメは飛翔性昆虫(飛ぶ虫)を
主な食物にしている。
カ、ハエ、ユスリカ、ガ、チョウ、トンボなど。

おおそ2,000km〜5,000kmを
旅して日本へやって来る。

〈メス〉
イタダキマース！

↑
虫

白い斑

↑
オスもメスも尾羽の外側2枚が
長いが、メスはオスより短い。

冬の間、日本では見なくなるツバメは、
フィリピン、インドネシア、マレーシア、
ベトナムなどで冬を越している。

welcome to JAPAN

遠いところから
ようこそ!!

14

関東には、毎年3月頃になるとツバメが飛来する。
店主は、そのことを知っていて、3月上旬には、フン受けなどの準備をはじめる。

ツバメは古い巣をメンテナンスして使うことも多い。

毎年同じエリアに戻ってくることも多く、過去に繁殖に成功した巣を再利用するケースもある。

<オス>　<メス>

シャッターの内側に巣をかけている

毎日交換される新聞

フン受け

新聞受け

民家や商店の軒先など、人工物に巣をかけるが、日本では人工物以外での営巣は、ほぼ確認されていない。
人の存在が、外敵から身を守る役割を果たしていると考えられる。

あるとき、一つの疑問がわきました。ツバメの巣はシャッターの内側にあります。そして、シャッターは店休日や営業時間外は閉まっています。「出入りはどうしてるの？」そこで店主に尋ねてみると、なんと、新聞受けの小窓から出入りするのだとか！　人がいないときは頑丈なシャッターが巣を守ってくれているということです。

スズメ【雀】

夏のスズメは大忙しです。
毎年、我が家から見える範
囲のどこかに巣をつくるの
で、夏の間中、スズメの子
育てを観察しています。見
ていると、餌を運んだりヒ
ナのフンを運び出したり、
とにかく忙しなく巣を出入
りする親鳥です。

赤味のある
茶色
←

ほほには、
黒,斑
(幼鳥はうすい)

全長14cmくらい
身近なスズメの大きさを覚えておくと
他の鳥の大きさをはかる目安になる。

砂浴び大好き!!

スズメは水浴びと砂浴びが
両方できる環境では砂浴びを好む。
水浴びをした場合でも、後に
砂浴びをする傾向がある。

幼鳥もやる!
↓

かわいい
くぼみが出来る

←目をつぶってる

水浴びのあとに
砂まみれになっているスズメを見ると
余計に汚れるんじゃ?と不思議に思うよ

鳥は汗をかかないため暑い日は
口を開けて呼吸を速め)ドの水分を
蒸発させて体温を下げる。

ハァ
ハァー

このとき、蒸発によって水分が
失われるため、水分補給ができる
環境が重要。

• おむつは子育ての必需品 •

ヒナのウンチは 粘液に包まれたふかふかの白い袋に入って排出される。

糞嚢
(ふんのう)
と呼ぶ
←

親が巣の外に持ち出す

メリット
・巣を衛生的に保つ
・細菌や微生物から身を守る
・外敵に活れやニオイで存在を
気付かれにくい

ナルホド

ふんのう研究の第一人者によると
本質的には、オムツと同じとのこと。

> 糞嚢は鳥の中でも晩成型（親が面倒を見る期間が長い）に多い特徴
> で、オムツが取れてもまだ一人前とはいかないみたいです。身近な
> 鳥だとスズメだけでなく、カラスやエナガなどいろいろな幼鳥を見
> かける機会がありますが、どの子も幼く可愛くて、観察していると
> 「鳥にも精神年齢があるんだなぁ」とよく感じます。

• 巣立ってもまだまだ子供 •

巣立ち後もしばらくは
親から餌をもらうが
徐々に独りで
食べ物を
探すようになる。

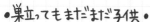

クチバシが黄色い
↓

親が近くにいないときは自分で
食べ物をとって食べているのに
親が近くに来たとたん、甘えて
餌をねだることも！

カワイー

春から夏にかけて
見れる光景だよ！

翼をバタバタさせて甘える

ヒヨドリ【鵯】

近所にある柿の木は、野鳥たちが毎年楽しみにしているごちそうです。ヒヨドリは、その柿の木の横にあるモチノキをちゃっかりねぐらにしています。しかし、オナガやムクドリが常に狙っていて、熾烈な争いが繰り広げられます。

花の蜜や花弁

カタツムリ

昆虫

小型のは虫類や両生類

木の実や果物↗

なんでも食べる、食いしん坊!!

グルメ

ボサボサ

←赤茶色

クールな
←シルバー
　グレー

全長
28cm
くらい

↖ドットに
見える斑

モチノキの実

全国で一年中見られるヒヨドリだが秋になると数百羽の群れで海峡を渡る様子が話題になる。

私の父の趣味はさまざまな果樹を育てること。秋に実がなる頃の常連はヒヨドリだそう。ちゃんと食べごろを知っていておいしい実から食べる。

年にもよるが、我が家の向かいのヒヨドリの場合、春になると集団で渡りを行い夏にはぐっと数を減らす。

秋冬のお庭はヒヨドリが主人公。ムクドリがモチノキに入ろうとすると とても怒りますが、不思議なことにモチノキに近づかなければ あまり気にしていない様子。ですので、ナワバリ争いというより、 ねぐら争いのようです。一方、オナガやホンセイインコだとこのエ リアに近づくだけで喧嘩になります。鳥たちの社会も複雑みたいです。

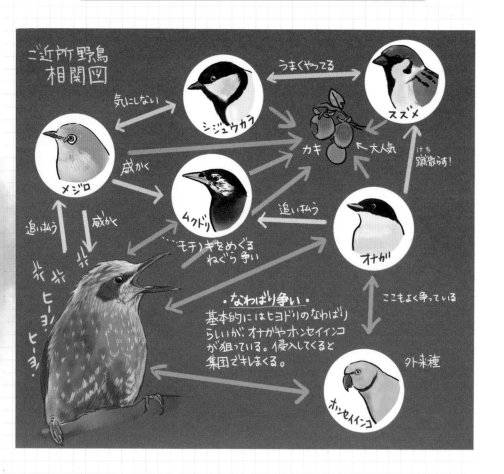

ご近所野鳥相関図

気にしない — シジュウカラ

うまくやってる — スズメ

カキ ← 大人気

蹴散らす！

メジロ — 威かく — ムクドリ

追い払う — オナガ

追いはらう — 威かく

ヒーヨ！ヒーヨ！ヒーヨ！

モチノキをめぐる ねぐら争い

・なわばり争い・
基本的にはヒヨドリのなわばり らしいが、オナガやホンセイインコ が狙っている。侵入してくると 集団でキレまくる。

ここもよく争っている

外来種 — ホンセイインコ

ジョウビタキ【尉鶲】

金木犀が香る頃「ヒッヒッ」と可愛い鳴き声が聞こえてきます。「今年もここに来ました」と言わんばかりに、窓の外で尾羽を上下に振るわせるジョウビタキ。その様子を見ていると、そろそろ衣替えだなと感じます。

頭はシルバーグレー

翼に白斑

〈オス〉

尾は長め

みかん色

秋に全国に飛来し冬の間、日本で過ごす。

全長14cmほど スズメより少し小さい

全国の幅広いエリアに生息しているが、開けた環境を好み、住宅地などでも見られる。

全体的にベージュ

オレンジがかる

〈メス〉

メスも翼には白斑

カワイー

冬の間は、オスもメスも個別になわばりをもつ!

お、おっと‼ すみませーん

うっかりなわばりに侵入してしまったオス

出ていけ‼

すごいケンマクで追い払う!

なわばり性が強くケンカしている様子をよく見かける。

・名前の由来・

じょう
尉

ジョウビタキの頭の色が
老人の白髪頭に見える。

茶道では炭の火が燃え尽き
ようとして、白い灰が崩れずに
いる風情を「尉」とよぶ。

能では男性の老人の面のことを
「尉」とよび、笑尉や三光尉などがある。

灰色！黒！オレンジ！

そういえば燃えかけの炭の色は
ジョウビタキに似てるネ！

ひたき
鶲

ヒッヒッ カッカッ

ジョウビタキの 鳴き声が
火打ち石で火をたいている
ように聞こえるのが
「ヒタキ」の由来

火打ち石

今は、ヒタキという呼び名は
多くの野鳥で使われているが
もともとヒタキとは、ジョウビタキを
さしていたよう。

【鶲】に翁という文字が入っていることから、【尉】の老人という意
味にもつながる気がします。しかし、鶲という漢字の由来までは調
べてみてもわかりませんでした。名前の由来は、諸説あるものも多
く、今回もそんな諸説ある中から私が好きな説を選びました。私は
名前の由来などをいろいろ調べたり想像するのが大好きです。

オオタカ【蒼鷹】

近所の都市公園にはオオタカが住んでいて、冬になると、ほぼ毎日カラスとケンカしている様子を見かけます。散歩をしていたら、私の真横をすごいスピードで飛んでいったこともありました。大きな公園がいくつも近くにあるおかげです。

〈オス〉

← 白い眉斑

←青っぽいグレー

繊細なストライプ→

ガッシリ →

ハト→

全長50cmほど

猛きん類は、メスがオスより体が大きい傾向がある。これを「性的二型の逆転」とよぶ

やや茶色↘

〈メス〉

メスの方が大きい

全長58cmくらい

〈若鳥〉

← 茶色っぽい

全体的にベージュトーン

←成鳥とちがい縦縦斑

●体格差が大きい猛きん類の特徴●

・生息地の構造が複雑である。
・なわばりが広い
・獲物が俊敏である

このような条件が体格差を生む要因だとわかっている。

この海は1〜2才までの若鳥で、3才になる頃には、成鳥と同じ羽色になる。

はじめて見たときはオオタカだと気付かなかったよ！

PART 1

タカの仲間は、見通しのよい場所で狩りを行うものや、森林など密集した場所で狩りを行うものなど、さまざま。オオタカの場合、林縁の枝にとまって獲物を待ち伏せし、背後から飛びかかって狩りを行うことが多い。

不規則な動きをする獲物をとらえるため、狙った獲物に頭を固定し、追跡中に目標から目線を外さない。

長い尾羽は急せん回に向く

BBCが公開した実験の様子「狭い穴を素早く通りぬけるオオタカ」

ラクショー！

林に逃げこんだ獲物を追うことも多く急せん回や狭いすき間を飛ぶことを得意とする。

一瞬の出来事！！！

オオタカは、日本画のモチーフになることも多く、古くからタカの仲間のなかで代表的な存在でした。一時期は個体数が減り、絶滅の心配もされていましたが、近年は回復傾向にあり絶滅危惧種から外れています。都市公園で繁殖をすることも増えるなど、オオタカの生活圏に変化が起こったことが理由かもしれません。

メ ジ ロ 【目白】

近所のお庭には、立派な椿
の木があります。年中観察
できるメジロですが、椿
の花が咲く頃には、ほぼ
100%蜜を吸いにやってき
ています。小柄ながら気の
強いメジロは、ヒヨドリが
椿に近づくと、すごい剣幕
で追いかけることも。

← 白いアイリング

← オリーヴグリーン

ノドは
黄色 →

やや
ベージュ

メジロを1羽だけで見かける
ことはまれ。1羽を見かけると
近くに数羽いることが多い。

サクラ

ウメ

ツバキ

花の蜜を好む

メジロの舌は蜜が
なめやすいように
筆状になっている

フサ
フサ

〈つがい〉

大東諸島の例では、
巣立った年の秋までに
つがいを形成。
そして死別するまでつがい相手を
かえないことがわかっている。

なかよし

よく観察していると
舌をペロペロと
出し入れしている
様子を見ることができる

あなたの 「思い出の野鳥 エピソード」を募集！

グランプリ、
準グランプリ
の2つをイラスト化
&
BIRDER12月号に掲載！
（11/15発売）

#思い出の野鳥エピソード
#野鳥ノート
をつけて X でポスト！

募集〆切：2024年 9/13（金）

たとえばこんなエピソード！

「冬のある日、林道で小さな茶色の鳥を発見！ うごめく影は
ホオジロかな？と思ったら、はじめて見たカヤクグリでした。
地味めな鳥が好きなので、しぶい色も模様も好みな上に、モ
フモフでかわいい！すっかり魅了され夏のさえずる姿も見た
くなり、ついには富士山にまで登って見に行きました」

野鳥情報満載！ BIRDER <small>バーダー</small>（毎月16日発売）

2024年8月号　ブンチョウ
（紙版品切・電子あり）

野鳥専門誌 BIRDER が飼い鳥というテーマに切り込む。まずは鳥としてのブンチョウの特性を紹介し、ブンチョウが"野鳥として暮らす"インドネシアの原産地と"外来鳥として暮らす"ハワイからのレポートをお届け。

2024年9月号
秋の鳥見を10倍楽しむ術
ヒタキにツグミ…待ち遠しい渡り鳥たち

秋の鳥見を満喫するためのさまざまなノウハウを解説。幼鳥をしっかり見分けるための図鑑だけでなく、離島の情報や都市公園での観察記もあり。

定価1,100円
（本体1,000円＋10%税）

←**最新情報は文一総合出版**
　ホームページからご確認ください

野鳥を探しに行きたくなったらこの本

「あの鳥なに？」がわかります！
野鳥手帳

日本で見られる242種の野鳥を、イラストと写真で紹介するハンディ図鑑。豊富なコラムとわかりやすい解説で、はじめての野鳥図鑑におすすめ。

叶内拓哉 文・写真／水谷高英 イラスト ／ 四六変型判 ／ 208ページ／定価 1,540円

プロバードガイド直伝
旬の鳥、憧れの鳥の探し方

プロバードガイドの著者が全国各地・各月の旬の鳥を紹介し、多くのバードウォッチャーのお目当てである憧れの鳥の探し方を詳しく解説。

石田光史 著 ／ A5判 ／ 160ページ ／定価 1,980円

各種書店で好評発売中！
（電子書籍もあります）

ウェブでも楽しむ！野鳥ノート

文一総合出版 note
図鑑でもハウツー本でもない、野鳥愛にあふれた『野鳥ノート』ができるまで

編集者が明かす、野鳥ノートができるまでの裏話！

文一総合出版 YouTube
絵画と音楽の目線で語る！野鳥たちの魅力

刊行記念オンライントークイベント。mililie のお二人が野鳥の魅力と作成秘話を語る。

mililie X アカウント

野鳥ノート著者・mililie（ミリリー）さんの X アカウント。たくさん更新されるかわいい野鳥たちのイラストは必見！

もっと野鳥を好きになるコンテンツがいっぱい！

● ツバキとメジロの親蜜な関係 ●

ツバキは花粉運搬を鳥に強く
依存する木として知られている。

ツバキは11月～4月に →
花を咲かせる

「ツバキ」
ここでは、
ヤブツバキを指す。

ツバキにはメジロと
ヒヨドリが蜜を吸いに
やってくることが多い。

ある調査の結果、この2種ではメジロの訪れる頻度の方が圧倒的に高かった。
また、メジロはツバキの花が咲く時期では、非常に高い割合でツバキの
蜜を利用していることもわかった。

SUMMER   WINTER

虫

花粉が
ついている

メジロは、一年を通してみると、虫、クモ、種子・果物などさまざまなものを
食べるが、冬の時期には花の蜜を主に食べている。

日本のような温帯の地域には四季があり、冬に花が咲かない時期が
あるため、蜜に強く依存して暮らす鳥はいません。ですので、花粉
運搬を鳥に依存する植物も少ないのです。一方、ツバキとメジロの
関係は、冬という季節に特化して進化したと考えられます。そのよ
うな鳥と植物の共生関係は、世界的にも珍しい例です。

コアラの比べてみた！

・シジュウカラとコガラとヒガラ・

シジュウカラ
全長
約14.5cm

標高の高い場所に
生息している

とんがりがち

よだれ
かけ
みたい

ちょう
ネクタイ
みたい

山地の
針葉樹林で
見かける！

この3種は
よく似てるよね

コガラ
全長 約12.5cm

ヒガラ
全長約11cm

・スズメ と ニュウナイスズメ・

スズメのトレードマークである
ホッペの黒い斑がないスズメ。
それが、ニュウナイスズメ。
人家の近くにいるスズメとは
対照的に林や森などにいる。

オスは、赤っぽい
栗色！

←ホッペの
黒い斑

スズメ

スズメは人の近くにいる。

スズメは、オスもメスも
同じ色柄だけど
ニュウナイスズメのメスは
グレーに見えて、別の鳥みたい！

ニュウナイスズメ

〈オス〉

・オオタカとトビの大きさのちがい・

オオタカは「大きいタカ」と
思われることが多いが、
よく見かけるトビと比べると
こんなに小さい！

なんかスイマセン・・・

オオタカ

あれっ？
思ったよりオオタカ
じゃない・・・

トビ
トビもタカのなかま

オオタカの名前の
由来は蒼鷹(アオタカ)。
色が蒼(あお)っぽい
ためだといわれているよ

オス
全長約50cm

メスは
全長約58cm

オス
全長約59cm

メスは
全長約69cm

四季と野鳥と私

「花鳥風月」という言葉があります。これは世阿弥の書いた『風姿花伝』が言葉の由来と考えられていて、自然のもつ静かな移ろいに、美を見出すとてもいい言葉です。それもそのはず、桜が咲くと春を感じ、ツバメを見かけると初夏を感じ、うろこ雲を見れば秋だなと勝手に思い、冬の月は……なんといっても……。ごめんなさい。月は年中同じに見えてしまいます。

しかし、私にとって草木や鳥の移ろいは確実に四季を感じさせてくれる、まさに花鳥風月そのものです。メジロが梅の花の蜜を吸っていたかと思うと、ウグイスが「ホーホケキョ」と鳴き出し。アジサイが咲いたかと思うと、ハスの花の影からヨシゴイが顔をのぞかせる。金木犀の香りと共にジョウビタキが鳴き始め。気がつくと空をハクチョウやマガンが飛んでいる。こうやって私の一年はぐるぐると巡っていきます。現代を生きる我々にとって、季節なんて気にしなければ、どうこういうものでもないのですが。

仕事や生活に追われながらも、家の窓から見える景色の移ろいが、ほんの少しだけ心を豊かにしてくれるようにも思えます。そのほんの少しの豊かさを運んできてくれる野鳥たち。私が野鳥を愛でる理由の一つに、花鳥風月の気持ちがあるのかもしれません。

わざわざ出かけて出会いたい
私の大好きな野鳥たち

郊外に少し足を伸ばすと、出会える野鳥たちの種類も変わっていきます。「そろそろあの鳥の季節だな」「ヒナは育ったかな？」と気になると、私は居ても立ってもいられません。ここでは【どんな場所で鳥に出会えるのか？】を見ながら、わざわざ出かけて出会いたい野鳥たちを紹介します。

あしあとみっけた

観察に出かけると、野鳥のいる場所やいない場所があることに気付く。
鳥が好きな生活環境、季節による生活の変化などを知ることで、鳥たちの好む環境がわかってくる。

ベニマシコ

クロサギ

バンの親子

海

一年を通して多くの野鳥を観察することができる。
防波堤、岩礁、砂浜、漁港など少し変化のある場所をついつい探したくなってしまう。
環境が変わると見られる野鳥も変わるから面白い。

高原

少し車を走らせれば、高原も野鳥スポット。
特に夏は多くの野鳥が繁殖のため集って
くるので、美しいさえずりをたくさん楽しめる
お気に入りの季節。

ハヤブサ

里山

農耕地や雑木林の隣接する
里山も野鳥の楽園。
季節によって木の実や虫などさまざまな
食べ物を求めて鳥が集まる。

↑
モズ

河原

河原は多くの野鳥が暮らす
重要な観察ポイント。
水辺や河川敷の草むらなどを
探してみると見つけやすい。

↑
ネズミを捕まえた
チョウゲンボウ

自分の行きつけの観察ポイントを
作っておくと、野鳥たちの暮らしの
変化を知れて楽しいよ！

ユリカモメ

ユリカモメ【百合鴎】

万葉集や伊勢物語に登場する【都鳥】は、現在のミヤコドリではなくユリカモメだという説が有力です。伊勢物語では『京には見えぬ鳥なれば』と出てきますが、今ではすっかり京都のお馴染みの鳥となりました。

黒っぽいコゲ茶 →

うすいグレー↓

↑ よく見ると赤黒い

〈夏羽〉

← 赤黒い

ブイ ←

全長40cmほど

ロシアのカムチャッカ半島から10月くらいに日本に飛来する冬鳥。

昔よく眺めた高野川の風景

〈冬羽〉

先は黒い
↓

整列している

エビやカニ、魚などを捕食するが雑食性でなんでも食べる。

海港や海岸などのほか内陸部の湖や河川、公園の池などでも見られる。

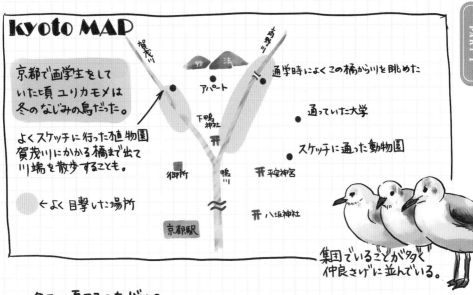

kyoto MAP

京都で画学生をして
いた頃 ユリカモメは
冬のなじみの鳥だった。

よくスケッチに行った植物園
賀茂川にかかる橋まで出て
川端を散歩することも。

● ←よく目撃した場所

アパート

下鴨神社

御所

鴨川

平安神宮

八坂神社

京都駅

通学時によくこの橋から川を眺めた

通っていた大学

スケッチに通った動物園

集団でいることが多く
仲良さげに並んでいる。

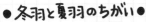

● 冬羽と夏羽のちがい ●

先は黒い

耳のあたりに
黒い斑がある

頭部が
黒に近いコゲ茶

全然
ちがう

夏羽を見られる
期間は短いが
この姿が好きで
見られるとうれしかった。

冬

夏

2月ごろになるとユリカモメは夏羽に変わりはじめ、渡りまでのわ
ずかな期間ですが、かわいい夏の装いを見ることができます。私は
この姿がどうしても見たくて、時期をねらって観察に出かけます。
今住んでいる場所だと、ちょっと遠出することになりますが、会い
に行く価値のある思い出深い鳥です。

クロサギ【黒鷺】

ひとけの少ない岩礁で、一羽もくもくと歩き回りながら狩りをしている孤高の鳥。「会いにきたよー！」って声をかけるとすぐに逃げてしまうので、私も黙ってじっと観察します。足場が悪く滑りやすいので長靴は忘れずに！

マットな
チャコールグレー

クチバシや
脚の色などは
個体差が大きい

コサギサイズ
でも全体的に
ずんぐりと太めな印象

他のサギより
脚が太く短い

全長
62cmほど

磯の波打ちぎわや
岩しょうの上、水の中を歩きまわり
カニや魚を探す。

獲物を見つけたら
じーっと身を低くして狙う。

岩場や波のある水の中を
ガシガシ歩きまわれるように
ガッチリした足なのかな？

潮だまりの魚やカニなど

忘れもしません。3年前の6月。クロサギを観察しながら一生懸命スケッチを描いていたのですが、うっかり足を滑らせて盛大に転んでしまいました。足場は岩礁。傷だらけになったうえに、膝に抱えていたカメラは水没。切ない思い出です。自然相手の野鳥観察ですから、安全第一で行動しなければいけませんね。

● クロサギのいる磯 ●

環境や背景に紛れるような体色を保護色（ほごしょく）という。
日陰がないことが多いので、一日観察していると自分も真っ黒になる。

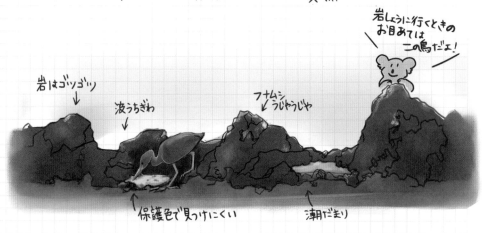

岩はゴツゴツ

波うちぎわ

フナムシ うじゃうじゃ

岩しょうに行くときの
お目あては
二の鳥だェ!

保護色で見つけにくい

潮だまり

● 白色型というのがいる ●

主に沖縄などの南西諸島で
見られるため、
私は、まだ見たことがない。

名前はクロサギですが
ナニか?

< クロサギの白色型 >

クロサギなのに白い!!!
いつか見てみたいなぁ。

ハヤブサ【隼】

すごくかっこいいのにつぶらな瞳にキュンとする。ハヤブサは私の大好きな鳥です。しかし、簡単に出会える鳥ではないので、冬風身に染みる海岸で長時間待つということも。まるでアイドルの出待ち状態ですが、出会えると感動もひとしお。

●ハヤブサの飛行速度●

DATA
通常 70～90km/h
水平飛行時最大 110～130km/h
降下時最大 389km/h

ギネスブックには世界一速い鳥と記録がある。

カラスとあんまりかわらない大きさ！

とても大きな目！

青みのある暗いグレー

胸はベージュっぽい

←ガッチリした足!!
強そう。

全長は、42cmくらい（メスは49cmほど）

営巣には、岩がむき出しのガケが必要

とがって見える！

河川や海岸、湖や農耕地などで出会える。
しかし大抵 突然に現れるため出会いは難しだい！

やった！見られた!!

34

時間の感じ方

1秒間に10枚の画像を見ると、パラパラマンガに見える

1秒間に60枚以上の画像を見ると、つながって動画に見える

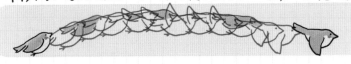

このパラパラマンガに見えなくなる限界の枚数を
CFF（臨界フリッカー融合頻度）と呼ぶ。

動物によっては、このCFFの値が異なり、動いているものを
認識できる情報量がちがう。

| 実験の結果 | ハヤブサは人間の約2倍の認知能力をもつことがわかった。 | ハヤブサ 少なくとも… CFF 129 | ＞ | 人間 CFF約60 |

つまり、同じ動くものを見たとき、ハヤブサは人間のおおよそ
2分の1のスローモーションに見えていると予想できる。

私たちにハトは
素早く見えるけど、ハヤブサには
もっとゆっくりに見えて
いるのかな？

モズ【百舌鳥】

小さな猛禽とも呼ばれるモズ。ずんぐりとしたかわいい見た目とは裏腹に、鋭いくちばしや小鳥をも狩れる能力をもっています。そして、モノマネが得意という芸達者でもあるから驚きです。私はこのギャップに萌えます！

過眼線
かがんせん

← カギ状

くちばしのつけ根から目を通る黒いライン

← グレー

〈オス〉

オスの翼には白玉班がある

オレンヂブラウン

全長20cmくらい
近くで見ると想像より大きい

← 尾は長めぐるぐるとまわすように動かす！

低めの木などの上から、虫やトカゲを探して飛びかかる。

やわらかいブラウン

〈メス〉

メスの過眼線はうすい

は虫類、両生類、小動物など動物性のものを好んで食べる。

農耕地や河川敷、草地など開けたところで見かける。

モズの行動で特筆すべき点は、やはり【早贄】で
しょう。小鳥やや虫類など、とらえた獲物を木の
枝などに突き刺して放置するという恐ろしく思え
る行動です。しかし、私はこのはやにえ探しが大
好き！ 秋から冬にかけて、モズを見かける場所
を丁寧に探すと見つけることができます。

ムネン…

ハヤニエはなんのため?

以前は、食料が不足する冬に備えた「食料貯蔵」だと
考えられていたが、近年、歌の質を高める「栄養食」としても
重要な役割をもつことがわかった。

まぁ♥ お歌が
お上手♥

ステキ…

近年わかったこと
・繁殖がはじまる前にすべて消費される。
・繁殖シーズンの直前に、消費のピークを迎える。
・はやにえを、多く消費したオスほど歌が上手。

キリッ

♪ タ

モズ的上手な歌の条件

その1. モノマネ上手
　　いろいろな鳥(ヒバリやウグイスなど)の
　　さえずりをマネできる。

その2. 早口!!
　　リズミカルに早口で歌える。

歌が上手なオスほど
メスにモテるんだょ!

バン【鷭】

泳いでいる姿も見かけますが、水辺を歩き回っていることが多いバン。田の番をしているような姿が、名前の由来といわれています。我が家から徒歩3分ほどの池に住み着いていて、暇さえあれば一年中会いに行っています。

茶がっている
〈夏羽〉
冬は、羽、くちばし共に色あせた感じになる。

チャコールグレー

全長32cmくらい

鮮やかな朱赤×黄

バンの威かくはカワイイ。
お尻の白い羽を見せつける！
距離が近いとたまに威かくされる…

どーナジ!!

ここ!!
下尾筒（かびとう）とよばれるお尻の羽。

びっくりするほど大きな足

泳ぐときは、首を前後にふって進む。

河川や湖沼、水田などの水辺に生息。

おシリを見せつける！
なんて、おもしろい威かくだよネ!!

学生の頃、近所の公園を散歩していて驚きの光景を目撃しました。「見たこともない鳥がバンのヒナに餌をあげてる。これは大スクープだ！」と鼻息荒くしたのを思い出します。そうそう大発見なんてあるわけがないのですが、この何かを発見する喜びは、野鳥観察の醍醐味かもしれません。

PART 1

ナントそれは…

幼鳥ヘルパー だった!!

いや…ボク…兄ちゃん

〈幼鳥〉

先に生まれた幼鳥はその後に生まれてきた弟や妹たちの世話を行う！

ねえ ねえ！かあちゃん！

親にまじって給餌をする幼鳥

自分もまだ生まれて間もないのにエライ!!

〈ヒナ〉

生まれたときは親とソックリな色なのに、少し成長すると一度色が変わる。これは、ナゼなのか？ずっと疑問に思っていて、いろいろ調べたがよくわからない。

黒

赤い

ヒナ 生まれて間もない頃は脚も黒い

ベージュ

ベージュ

幼鳥

赤い

黒に近いチャコールグレー

成鳥

フシギ

チョウゲンボウ【長元坊】

野鳥界一のかわいい名前！と私が推したいのがこの鳥です。由来は、昔、飢饉を救った長元という坊さんの名前から来ているとか、飛ぶ姿がトンボに似ているからだとかハッキリはしません。理由はどうあれかわいい名前！

〈オス〉

やさしいグレー

美しい飴色

大きな翼

黒斑

黄色い

全長28cmほど

全長31cmくらい

〈メス〉

← 頭は茶

くりくりとした大きな目が愛らしい。

メスは全体的に茶色っぽい→

畑や河原など開けて草地のある場所に生息

初列風切羽

翼の先端側の羽が長い！

ネズミなど小動物の他小鳥も捕食。

キャッキャッキャッとまるで子犬みたいな声で鳴くよ。

この能力を使い
広範囲を
短時間で
探すことができる

● 紫外線域 が見える チョウゲンボウ ●

野ネズミの仲間はオシッコでマーキングして なわばり
などをしめす。そのマークは紫外線域を反射する。
キタハタネズミでの実験によると、チョウゲンボウは、
紫外線でネズミたちの居場所を見つけられることがわかった。

キタハタネズミ

私たちには見ることのできない紫外線域の色ですが、自然界では多
くの生き物が利用しているようです。野鳥のメスの中には紫外線の
反射率でオスを選ぶものがいます。また、植物は花粉の位置などを、
紫外線の反射率を利用して虫に知らせているといわれています。人
には見えない世界。いつかそんな世界をのぞいてみたいです。

私がチョウゲンボウを好きな理由

ミニチュア ハヤブサ感。
好きなハヤブサ目の中でも小さなボディ。

ステキな カラーリング
美しい飴色とやさしいグレーのコンビが好み

ネーミング
チョウゲンボウの ボウ は坊っちゃんの「坊」

意外と近くで見られるのも
推しポイント

カワイイ
ね!

エナガ【柄長】

北海道のシマエナガが人気ですが、私が推したいのがこのエナガです。黒い眉斑がとてもかわいい！ そこからのぞくつぶらな瞳も、黄色いアイシャドウを引いたようで惹かれます。色味がオシャレなかわいい小鳥です。

小さなくちばし

黒い眉斑

モフモフでカワイイ

← 桜色の淡いピンク

全長14cmくらいで、とても小さい。

← 長い尾羽を入れた長さなのでボディだけでいうと日本最小クラス!!

小さくて軽いボディで木々をちょこまかと動きまわる。

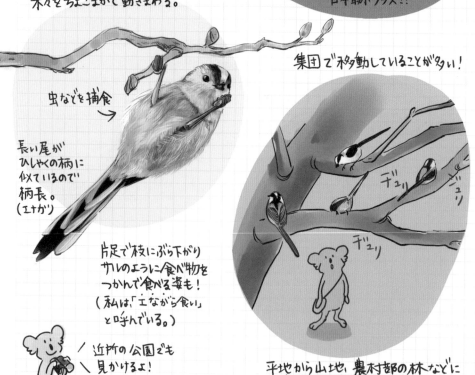

虫などを捕食 →

長い尾がひしゃくの柄に似ているので柄長。(エナガ)

片足で枝にぶら下がりサルのように食べ物をつかんで食べる姿も！
（私は「エながら食い」と呼んでいる。）

集団で移動していることが多い！

ヂュリ

ヂュリ

ヂュリ

近所の公園でも見かけるよ！

平地から山地、農村部の林などに生息している。

•エナガの子供たち•

春になると巣立ったばかりの
幼鳥たちの姿が見られる。

目のフチが
赤い

グレーがかった
茶色

1羽ではなく
集団で行動

〈幼鳥〉
この子はまだ
卵孵化(ふか)後1ヶ月くらい

エナガ団子

巣立ったばかりの子供たちは、体力がなかったり体温を維持する力が
弱かったりするので、団子のようにくっついて食事や睡眠をとる。

うしろ向き

ねむり

ZZZ

アピール

マイペース

ガッツキ系

食べものを
運んできた大人

子育て期間中の野鳥たちはストレスに敏感です。人の目やカメラマ
ンの存在が、子育てを放棄させてしまうことがあります。また、人
の注目は、カラスなどの外敵に幼鳥の存在を知らせてしまうと聞き
ます。近づいてゆっくり見たい気持ちが湧いてきますが、グッと我
慢して観察することを心がけています。

ベニマシコ【紅猿子】

メスはおっとりマイペース。オスは少し臆病で恥ずかしがり屋。私は冬のベニマシコにこんなイメージを持っています。しかし、夏のオスは違います。真っ赤な姿で、目立つ場所におどり出て、堂々とさえずるのですから。

〈オス・冬羽〉

水玉に見える →

赤とピンク
まだらに赤い —

全長15cmほどで、
スズメぐらいのサイズ

本州以南では冬鳥!
北海道や青森では.
繁殖のため飛来する夏鳥。

河川敷や農耕地、低木のある林
などに生息している。

〈メス〉

メスは全然
赤くない

秋や冬は
主に草の種を
食べている。

カワイー

オスが人気だけど
個人的には、おっとりさんの
メスが好き♥

グループ内には
オスの方が
少ない印象.

冬場は5羽ほどの
少ないグループで
いることが多い。

44

赤い色素とモテる理由

赤さ増し増し ベニマシコ

夏は繁殖のシーズン。
ベニマシコの夏羽は
赤やピンクがさらに
濃くなる!!

ハンサム

〈夏羽〉

デキるオス

おいしいゴハンで 赤くなる

鳥の赤い色はカルテノイド
色素によるもの。
カルテノイドは食べ物から
摂るため、赤が濃いオス
ほど、良い食料を
たくさん食べている
ということ。

ボクのテリトリー

強いオスほど、良いなわばりを
もっことができる。
良いなわばりには、
良質な食料がたくさんある。

ベニマシコガールは 赤が好き

オスのモテ条件とは
ズバリ
「赤い」こと。
より赤いオスほどモテる。

赤くて ステキ♡

東京に住む私にとって、ベニマシコは冬に出会える食いしん坊な
鳥です。いつも種子をもぐもぐ。口の周りに殻をつけている姿が
キュート！　しかし、夏のベニマシコが可愛いという情報を聞きつ
け、わざわざ北海道へ見に行ったのが5年前。そこで初めて、オス
の本気を見た気がしました。

45

コルリ【小瑠璃】

小鳥の中で、私が一番好きなカラーリングは、シックなブルーと真っ白なコントラストがかわいいコルリの色です。笹藪の中から聞こえてくる歌声も、夏には一度は聴きたい声。今年も夏山へ会いに行くのが楽しみです。

シックな群青色→

スリムな
モデル体型

心配になるほど
細い脚！
そして長い

全長14cm
くらい

笹ヤブや草むらなどがある森に生息している。
地面をちょこまか…暗いところを動きまわる。

橋上でさえずることともある。

朝は比較的
木の上でさえずっているのを
見かけるヨ！

さえずりの声がとても大きいので
じっと聴いていると、付近の個体数や
なわばりの範囲がわかる。

チーチョロ

チーチョロ

チーチョロ

チーチョロ
チチ

さえずり方はバリエーションがあるが
必ず「チ・チ・チ…」と前奏が入るのが特徴！

こうぞうしょく
構造色

売ットと
青くない

風切羽

鳥の世界では、青い色素は知られていない。
コルリやカワセミなど、青い羽の正体は、
構造色というもの。
羽の微細な構造によって、光が散乱し
人の目には青色だけが届き、もともと褐色の
羽が青く見える。

ハンマーで羽根を叩くと
構造がこわれて
褐色になるエ！

・待つべし！・

コルリは普段はヤブの中にいて、
姿をなかなか見せてくれない。
そのため、声が聞こえたら
とにかくじっと待つべし！

出て来てくれたときの
喜びはひとしお！
こわがらせないよう
静かに待つよ。

去年、長野に住む友人が「毎朝、この鳥の鳴き声がうるさくて眠れ
ない。なんなの？　この鳥。」と音声を送ってきました。そこには
「チチチチ・チーチョロチーチョロチッ！」とコルリの鳴き声が録
音されていたのです。なんて羨ましい悩みだ！　私はわざわざ休み
を取ってコルリに会いに行くというのに。

ノビタキ【野鶲】

夏の高原では、野鳥の美しいさえずりをたくさん聴くことができます。その中でも、私が毎年会いたくなるのがノビタキです。強い日差しにも負けずに、頑張ってさえずるノビタキの姿。私の夏の定番といえそうです。

黒い頭

〈オス〉

にじんだようなみかん色

脚は長め

全長13cmほど
スズメより
小さく見える

中部地方以北にやってくる夏鳥

〈メス〉

胸は淡くオレンジがかる

全体的にベージュトーン

草原を飛びまわりながら、ときどき、目立つ枝の上で、なわばりを主張するために鳴く。

お気に入りの枝

ピュルリピー ヒュリリ
ヒュルヒー
すごくかわいい声でさえずるよ!
高原できくと爽快さ一際!

野鳥がさえずるためによく使うお気に入りの場所を「ソングポスト」とよぶ。

48

繁殖は夏の高原で行う。
春と秋の渡りの時期には、平地の河川敷などでも
見ることができる。

ピュルリピー

ソングポスト

ソングポスト

ソングポスト

鳥のなわばりは一度決まると、何かストレスやトラブルがない限り
維持されることが普通です。ノビタキの場合、複数のソングポスト
を頻繁に移動しながらさえずっているので、比較的なわばりを見つ
けやすいと思います。繁殖成功したかな？　ヒナは元気かな？　と
気になって、年に何回も観察に行くことがあります。

換羽
（かんう）

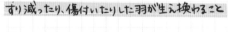
すり減ったり、傷付いたりした羽が生え換わること

種によって、年に1〜2度生えかわるものや
数年かけて生えかわるものもいる。
このタイミングで羽の色がかわる場合もある。

ノビタキの場合

秋の渡りの前に換羽がはじまる。
渡りの途中で立ち寄る河川敷などで
見られることがある。

〈換羽後のオス〉
メスと似る

へんしーん

全体的に
オレンジベージュ

ちがう鳥
みたい

49

キクイタダキ【菊戴】

正直に書きます。最初キクイタダキを見たとき「なんだ？　この子供の落書きみたいな顔は！」と思ってしまいました。すみません。でも、今ではとっても大好きな鳥で、今もこうして絵を描いていると胸がキュンとしてしまいます。

黄色い羽… オスは中央にオレンヂ色の羽が隠れている

天才バ・ボンのおまわりさんに似ている。

カーキがかったベージュ

あまりに小さく枝をちょこまかと動くのでまるで虫のよう。

〈メス〉

日本で一番小さい鳥だといわれる。
ナント…
オオカマキリに食べられてしまうことも。

興奮すると逆立つ
↓

〈オス〉

キクイタダキ

全長約10cm

菊の花を頭上に載いているように見えることから名前がついた。

ほんとに菊の花をのせているみたいだネ。

鉛筆は長さ約17cm

スズメ目キクイタダキ科キクイタダキ属

あこうざんたい
亜高山帯

標高が高い場所で見られる
シラビソ、トウヒ、コメツガなどの
常緑針葉樹におおわれた場所

← サルオガセ

キクイタダキはこのような環境を好み
冬期は平地にも姿を現すことがある。

ところが…

近年キクイタダキが、これまであまり
生息していなかった標高の低い場所に
分布を広げつつあることが
調査の結果わかった！！

スギやヒノキ
などの人工林での
繁殖が確認
されている！

少し前より身近な鳥に
なった気がするネ！

去年の6月、南アルプスで自然観察会に参加しました。南アルプス
といっても標高500mほどで、広葉樹林と人工林の交わる環境。ヤ
マセミなども生息する素敵な場所でした。そこで出会ったのがキク
イタダキです。ちょうどこの調査結果を読んでいたので、この出会
いに嬉しくなってしまいました。

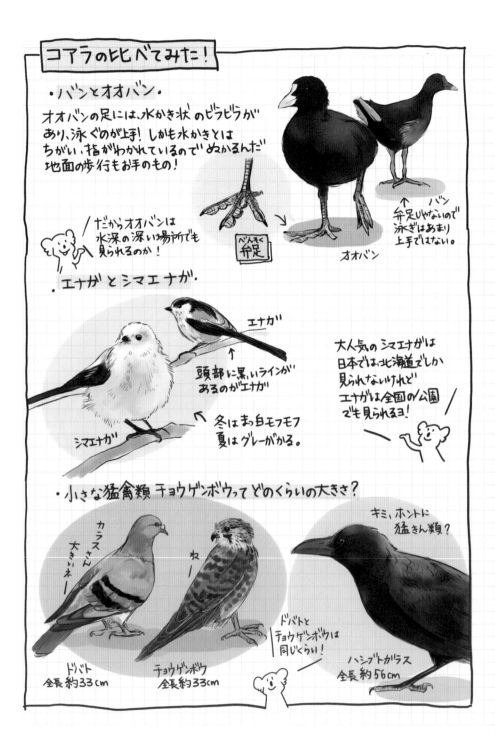

コアラの比べてみた！

・バンとオオバン・

オオバンの足には、水かき状のビラビラが
あり、泳ぐのが上手！しかも水かきとは
ちがい、指がわかれているのでぬかるんだ
地面の歩行もお手のもの！

だからオオバンは
水深の深い場所でも
見られるのか！

べんそく
弁足

↑ バン
弁足じゃないので
泳ぎはあまり
上手ではない。

オオバン

・エナガとシマエナガ・

エナガ

頭部に黒いラインが
あるのがエナガ

シマエナガ

冬はまっ白モフモフ
夏はグレーがかる。

大人気のシマエナガは
日本では北海道でしか
見られないけれど
エナガは全国の公園
でも見られるヨ！

・小さな猛禽類チョウゲンボウってどのくらいの大きさ？

カラス
さん
大きいネ

ね

キミ、ホントに
猛きん類？

ドバト
全長約33cm

チョウゲンボウ
全長約33cm

ドバトと
チョウゲンボウは
同じくらい！

ハシブトガラス
全長約56cm

双眼鏡が教えてくれた世界

初めて双眼鏡を覗き野鳥を見たときの感動は、忘れられない思い出です。それまで意識したことがなかったスズメの体羽（体毛とは言わない）ですが、頭や頬の羽が網目状に生えていることに驚きました。なんとなくモフモフしている印象でしたが「そっか！　哺乳類と違って毛じゃなく羽が生えてるんだよね！」と改めて気付かされた瞬間でした。それに、肉眼では見えないその仕草はとてもキュートで、一気にスズメを好きになってしまったのです。

双眼鏡は、私の人生を一変させました。身近にこんなに沢山の種類の鳥がいることや、鳥の世界がとても複雑で興味深いことを教えてくれたのも双眼鏡です。今までカラスと思っていた鳥の影がじつはオオタカだったり、スズメと思っていた鳥がカワラヒワだったり。双眼鏡の先には、私の知らない素敵な世界が沢山広がっていたのです。

私は、8倍・10倍・16倍の3つの双眼鏡を使っています。8倍と16倍はNikonの双眼鏡で、8倍はいつも鞄や車の中に入れている携帯用。16倍は「もっと近くで見たい！」という私のわがままを叶えてくれる強い味方。そして10倍の双眼鏡は、ライト光機製作所という会社のもので、野鳥を見る感動を何倍にもしてくれるお気に入りの相棒です。野鳥観察は、双眼鏡さえ持っていれば始められると言っても過言ではありません！　知らない世界をもっと見たい！　今日も遠くの小さな世界をのぞき見たい私なのです。

山歩きは気持ちがいい
登山で出会う野鳥たち

私の趣味は登山です。都会の喧騒から離れ、一歩山に足を踏み入れるとそこはまるで宝石箱のように素敵な世界が広がります。さまざまな木々や植物に囲まれ、山によって砂や土も違うし、大きな岩場を乗り越えて進むことも楽しい！　そして何より、そこにいる多くの野生動物とのかけがえのない出会いが、私をまた山へと誘います。

アカゲラ→
森中にドラミング
がひびき渡る

私の登山には、双眼鏡は必須！
いつ野鳥が現れてもいいように
常に首にかけてスタンバイ!!

休憩↓→

あめ→
(糖分)

←地図

←コンパス

ニホンリス

水→

ニホンジカは
よく見かける。

樹木を忙しく走りまわる
ゴジュウカラの姿に
元気をもらう！

すばしっこいので
ついつい足を止めて観察
してしまうキバシリ

54

標高1,800mを過ぎたあたりから、
高い木は生えなくなり、低い松や高山植物に
変わっていく。岩や石が目立つようになり
野鳥の種類もガラリと変わる。

森林限界近くで見ることが多い
ホシガラス

景色を見ながら
飲むコーヒーは、
サイコー!!

頂上!!

頂上!!

飛びながら鳴く
イワヒバリの声が
きこえたら
もう頂上に近い!

オオルリ

スリリングな
場所も通ります。
標高が上がると
岩場が増えて
景色が一変する!!

沢や渓流があれば必ず見に行く!
野鳥をはじめ、いろいろな生き物たちを
見るチャンスが高いから。
鳥や虫、植物を観察しながら
冷たい水に足を浸す幸せ…♡

↑
ベニテングタケ
赤くてカワイイ

登山の朝は、まだ薄暗い時間に起き
AM 5:30 ～ AM 6:00 には登り始める。

鳥のさえずりに
包まれながら
スタートだよ!

早朝は鳥たちが一番
活発な時間帯。
思わず観察に
夢中になって
なかなか先に
進めないことも。

ジージー

ヤマガラ

START

59

ヤマガラ【山雀】

登山でよく出会うのがヤマガラです。ギィーギィーと鳴き声が聞こえてくると、キツイ山道でも勇気がもらえます。なわばりをあまり変えないということを知ってからは、あの子に会いに山に登っているのかもしれません。

貯食 ちょしょく

冬に備え、秋には木の実を樹皮の下や地面などに隠しておく。

↗ キナリ色

↗ ダイダイ色

全長 14cm くらい

頭頂から首のつけ根にかけて ベージュのライン ↘

しっかり足で固定し、器用に食べる。

翼を広げると22cmほどになる。

～ヤマガラの好きな木の実～

↙ エゴノキの実を好んで食べる。

イチイの種には毒があるがヤマガラは平気!

果皮から外して種だけ食べる。

エゴノキ

イチイ

山だけでなく平地の林などにもいる。バードウォッチングの定番の鳥さんだネ!

56

求愛給餌（きゅうあいきゅうじ）

オスがメスに餌をプレゼントして求愛する。

こ れ、あげる―

ありがとー

多くの小鳥は、繁殖期のみつがいを作るがヤマガラは一年を通じ夫婦で行動を共にすることが多い！

ジ ジ ジ ー ノ

ある調査によると多くのヤマガラが毎年ほぼ同じ場所に、なわばりをもつということもわかっている。

ガンバ゙レて登るよ！

人気の山には年間を通して沢山の登山者が訪れます。そのため、野鳥も人を見る機会が多く、人慣れしている子が多い印象です。その中でもヤマガラは特に人懐っこいイメージで、案外近くに寄ってくることも。なわばりを滅多に変えないヤマガラは、私たちの様子をいつも見ているのかもしれません。

ゴジュウカラ【五十雀】

鳴き声が独特でよく通り見つけやすい野鳥。低地から亜高山帯まで生息する鳥なので、登山中に見かける頻度は高めかも！ シジュウカラと名前は似ていますが、分類的には違うグループです。よく木の幹を走り回っています。

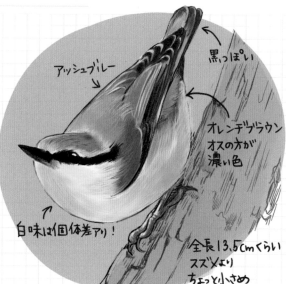

アッシュブルー

黒っぽい

オレンヂブラウン
オスの方が
濃い色

白味は個体差アリ！

全長13.5cmくらい
スズメより
ちょっと小さめ

目立つ過眼線

冬は
シジュウカラや
ヤマガラ、エナガ
などの他の種(しゅ)
と一緒に行動
していることも多い。

お尻が茶色いので
「ケツグサレ」と
呼ぶ人もいる。

樹洞やキツツキのあけた
穴を利用して営巣！

入口の穴が大きすぎるときに
泥などで調節する。

あっ
アカゲラ

他の種(しゅ)と一緒に
行動することを「混群」(こんぐん)
というよ！

58

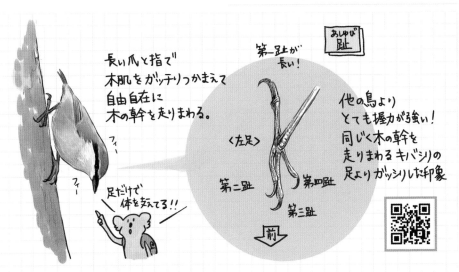

長い爪と指で
木肌をガッチリつかまえて
自由自在に
木の幹を走りまわる。

あしゆび
趾

第一趾が
長い！

他の鳥より
とても握力が強い！
同じく木の幹を
走りまわるキバシリの
足よりガッシリした印象

〈左足〉

第二趾　　第四趾

第三趾

前

フィー

フィー

足だけで
体を支えてる!!

木の幹を走り回る小鳥は、キバシリやコゲラなど他にもいます。し
かし、頭を下にして幹を逆さに移動するのはこの子だけです。縦横
無尽に走り回る様子は「忍者」といわれることも。他の種と一緒に
行動している場面に遭遇することがありますが、この子だけ動きが
異様にアクロバティックで可愛さ満点です。

脚が短めでヤマガラのように
足で食べ物を固定して食べる
ことができない。
そのため、木の皮のすき間などに
食べ物を固定して食べる。

上手に木のすき間を
利用していて頭がイイ！

59

キバシリ【木走】

針葉樹を好む鳥で、スギや
ヒノキの多い山を登るとき
のアイドル的存在！　とて
もさえずりが美しく、特に
早朝はあちらこちらから鳴
き声が聞こえることも。し
かし、羽色が針葉樹の木肌
に似ていて見逃してしまう
ことの多い鳥です。

チョコレートブラウニーみたいな茶色

複雑なながら

↑
下に湾曲
そして長め

全長13.5cmほど
スズメぐらい

羽軸が
しっかりした尾羽

幹をちょこまかと
動きまわるので
なかなか気付けない！

小さくて
素早いから
見つけにくい！

樹皮のすき間にいる
虫やクモ、虫の卵を
長いくちばしで食べる

おなかは白い

爪は長めで足は
ゴジュウカラよりきゃしゃ

羽軸が固く、先がとがった形の
尾羽を幹におしあてて
両足と尾羽の3点で体を支える。

〈尾羽〉

← 羽縁（うえん）

羽軸（うじく）
羽の中央にある太い軸のこと

PART 1

木を移動する
パターン

ある程度登ると
次の木の
根元へ！

飛ぶ

飛ぶ

木の幹を線状
に、下から上へ
移動

飛んで移動する
タイミングが
見つけるチャンス

歌が上手な野鳥は沢山いますが、キバシリが歌上手なことを知らない人も多いのでは？　じつはとても美しい鳴き声で、フレーズも複雑で多彩。さらに木を移動しながらさえずるので、歌が立体的に聞こえお得感があります。私はキャンプ中に、キバシリのさえずりに包まれて目を覚ますという夢のような経験をしたことがあります。

さえずりは春から秋くらいにかけて
よく聴かれる。

チョッピーチョッ
ピリリリー

その時期に山に行けば
キバシリの美しい歌が
聴けるかも！

アカゲラ【赤啄木鳥】

キツツキの仲間は存在感抜群！　コンコンと木を突く音が聞こえると、森を歩く喜びが湧いてきます。そんなキツツキの仲間の中でも、よく見かけるのがアカゲラ。キュキュと体育館シューズの擦れるような鳴き声が特徴的！

鮮やかな赤

ハッキリした黒

〈オス〉

やや茶色みがかる

白が映える

翼にはライン状に並ぶ白斑

全長23cmほど

コントラストの強い黒白赤の色柄がとてもカッコイイ！！

〈メス〉
メスの後頭は赤くない

広葉樹が好き！

外側の指は、内側の指より長め

通常鳥の指は、前3本 後1本
でもアカゲラは前2本、後2本！

穴は直径5cmほど

体を支えるため尾羽も使う

しっかり木をつかめる構造なんだネ

地上から平均2〜6mくらいに巣を作る傾向がある。

登山中間こえてくる、木を突く音もじつにバリエーション豊か。コゲラやアオゲラなど種によって音の傾向が違いますが、同じアカゲラでもいろいろなタイプの音を出していることに気が付きました。そこで調べてみると、キツツキの仲間は目的に応じて、突いている木や、空ける穴の大きさなどを変えていることがわかりました。

なわばり主張

結婚相手の募集やなわばり主張のために行う。音を響かせることが大事なので、枯木や中に空洞があり音が響きやすい木を選ぶ。穴はほとんどあけない。

営巣

繁殖期に巣作りのため大きめの穴をあける。大工事のため精力的に掘り進むので音も大きくなる。完成に数日を要する。

採食

食料となる虫などを探すために行う。木の中に潜む昆虫や幼虫虫の卵などを探してあちこち小さな穴をあける。

この3つの目的の中で「なわばり主張」を特に「ドラミング」と呼ぶ。

目的によってつつき方をかえてるんだネ!

キセキレイ 【黄鶺鴒】

湖や渓流そして山頂にも。キセキレイは、登山者の目を楽しませてくれる色鮮やかな鳥です。私は、尾羽をフリフリする様子が大好きで、水辺があればつい探してしまいます。登山中にひとときの癒しを与えてくれる存在です。

← 白い眉斑
〈オス〉
夏羽
← 渋めのグレー
← チャコールブラック
レモンイエロー
鮮やか！
全長 約20cm

夏は標高の高いところ、冬は低いところに生息。
このように 国内を季節によって 移動する
鳥のことを「漂鳥」(ひょうちょう)と 呼ぶ。

渓流や川沿いで見られる
歩くのが上手

長い尾はひんぱんに
フリフリ
〈メス〉
メスはノドが白い
あっ！こんなところにも！

ハクセキレイとちがい
人間の生活圏とはあまり
かぶらないが
じつは生息域は、とても広い。

少し山の方に行くと
よく見かけるよ。

八ヶ岳の標高2,500m 付近で出会ったこともある！

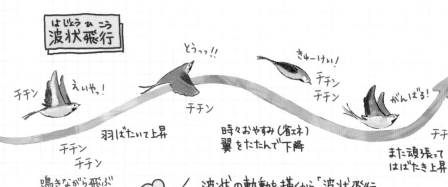

波状飛行

えいやっ！
チチン

とうっっ!!
チチン

きゅーけい！
チチン
チチン

がんばる！

チチン

羽ばたいて上昇
チチン
チチン

時々おやすみ (省エネ)
翼をたたんで下降

また頑張って
はばたき上昇

鳴きながら飛ぶ
ウェイヴ！

波状の軌動を描くから「波状飛行」
英語では Bounding Flight (バウンディングフライト)
っていうよ！

セキレイ類の他にも、波状飛行を行う野鳥はいます。その中でも、セキレイ類は特に地面に近いところを飛ぶのが印象的です。また、空中で虫を捕まえて食べるときには、自由自在に方向を変えながら飛ぶ様子も観察できます。黄色く鮮やかなキセキレイが、水面をひらひら飛んでいる様子は大好きな光景です。

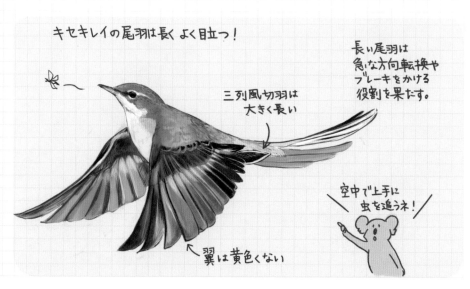

キセキレイの尾羽は長くよく目立つ！

長い尾羽は
急な方向転換や
ブレーキをかける
役割を果たす。

三列風切羽は
大きく長い

空中で上手に
虫を追うね！

翼は黄色くない

オオルリ【大瑠璃】

いつみても特別感のある夏山のアイドル！ 登山では、一般的に南側斜面より北側の方が難易度が高いと言われていますが、オオルリは北側の湿った沢沿いを好む印象です。気持ちよさそうにさえずっている様子は暑さを忘れさせてくれます。

〈オス〉

コバルトブルー →

昆虫食
空中で虫をキャッチ

おなかは白い

全長約16cm
スズメより ひとまわり 大きい

とても美しい青い鳥！

ピーチューピー
ジジ

沢近くの高い木の梢などでさえずることが多い

メスは、オスの鮮やかなブルーからは考えられないくらいジミ

← ベージュ

〈メス〉

さわやかな声

キビタキのメスと、とても似ているので、見分けるのが難しい。

66

PART 1

初夏のキャンプ場で一羽のオスと出会いました。その子は、私たちのテントのすぐ側をソングポストと決め、毎日早朝から一生懸命に歌っていました。私たちは「ルリサク」と命名し、歌声をチェックすることに。すると、日に日にフレーズに変化を加え、上達していくルリサク。野鳥も反復練習が大切なんですね。

ルリサク観察MEMO

2泊3日の鳥見キャンプ

一日中ずーっと練習していたルリサク

体が倍ほどもあるヒヨドリ夫婦に何度威かくされても逃げても逃げても···また戻って来ては練習再開！

ヒーヨ!
あっ! また来た!

ルリサクのソングポストの近くになわばりをもつヒヨさん

さえずり学習

さえずりの上手な野鳥たちは、幼い頃から歌を学習し練習することで、美しい歌声を手に入れることがわかっている。

·インプット·
ひたすら聴くべし!
父の歌

·記憶·
だまって記憶を定着させる。

·練習·
記憶とすり合わせて練習あるのみ!

·完成·
イザ!実戦!

ホシガラス【星鴉】

標高が上がるにつれ、生え
ている植物も変わっていき
ます。高山帯の中でも、森
林限界付近は背の低いハイ
マツが広がる標高。そこま
で登るとホシガラスをよく
見かけます。水玉模様のカ
ラスの仲間でハイマツが大
好きです。

ビターチョコレートの色 →

ハイマツの<u>球果</u>
と 松ぼっくり

ホシ(白斑)があるから
ホシガラス

全長約35cm
ドバトくらいの大きさ

雑食性で、木の実などの他、昆虫や鳥の卵
など、なんでも食べる。

ガアー
ガアー

声をきくと
やっぱり
カラスの仲間
だね!

標高の高いところで見られるカラスの仲間
なので"岳鴉"(たけがらす)という
呼び名もある。

ブナや
ミズナラの
実も好き

昆虫類

球果　松の実

ゴヨウマツやトウヒなどの
種も好む。

ハイマツ
<u>這松の林</u>
背が低く這うように茂る。

夏から秋には、ハイマツの林で姿を
よく見かける。

山の中では、いろいろな動物の痕跡を発見することがあります。姿が見えなくても「ここにいたんだ」と思うだけでワクワクしてきます。ハイマツの球果がバラバラになって散らかっている場合は、ホシガラスのしわざかもしれません。ハイマツの球果を一箇所に集めて中の実だけ抜き出しているのです。

PART 1

秋には集めた種をせっせと地面にうめて貯食する姿が見られる。

せせ
せっ
せっ

標高の高い場所にすむ
ホシガラスにとって
冬場の食料の確保は
とても大切!!

しかも!
積雪があっても隠した場所は、
とても正確に覚えている!

ニヤリ!!

スゴイ!

ホシガラスの仲間は、山の形や木のならび、更に、岩や木の根などを目印に、方向や場所を判断していることがわかっているよ!!

イワヒバリ【岩雲雀】

森林限界は、頑張って登った者のみが味わえる神聖な場所。そこで涼しげに美しく鳴くイワヒバリは、登山者に大人気の鳥。人への警戒心が薄く、山頂までのラストスパートを間近で応援してくれることもある可愛い鳥です。

ややベージュ味を感じるグレー →

オスもメスも
同じ色柄

← オレンヂブラウン

全長約18cm
スズメより少し大きい

山地の岩場にいるため、岩や石のような色合い

チュリ チュリ チュリ ビィ ビィビィ

↑
音量ある

イワヒバリの英名

Alpine Accentor
アルプスのイワヒバリ

イワヒバリという名だがヒバリの仲間ではない。
鳴きながら飛ぶ姿がヒバリに似ているため
「イワヒバリ」という。

／ 登山道を鳴きながら並走
してくれたことがあるエ!

東アジア〜中央ヨーロッパ
と広く分布している。
やはり高山が好きで
スイスのアルプス山脈にもいる。

_{こうざんたい}
高山帯

低温や水分不足のため
高木が育たない標高が
高い地帯

_{しんりんげんかい}
森林限界

高木が育たず森林が
見られなくなる境界線

　一般的に、派手な羽色や美しいさえずりは野鳥男子のモテる秘訣です。着飾り歌い、自分を良く見せようと一生懸命。しかし、女子の方から積極的に猛アピールする種もいます。その中でも私が一番熱を感じるのが、イワヒバリ女子です。繁殖期のメス達は情熱的にオスへ求愛。高山の恋する乙女野鳥なのです。

むむぅ
……

繁殖期、メスはオスに赤く肥大した
総排出腔を見せつけて求愛
↓

好
き
ッ
ス
！

オスからは
けっして交尾を
迫らない

オシリを見ている
オスの表情が
なんともいえないネ

イワヒバリは世界の鳥でわずか10数種しか知られて
いない「多夫多妻」。いわゆる乱婚。

標高で変わる野鳥と植物

山登りをしていると、標高や植生に詳しくなり、それらが野鳥たちの生活に大きく関わっていることもわかってきました。九州・本州・北海道など地域でいろいろと異なりますが、おおよそ標高700mぐらいまでを【低山帯】といいます。常緑広葉樹と呼ばれる光沢のある葉をもつ樹木が多く分布していて、メジロが椿の蜜を吸ったりアオバズクが営巣したりしています。

もう少し標高が上がった700m〜1,500mあたりが【山地帯】と呼ばれるエリアです。落葉広葉樹が多く分布していて、秋の紅葉を楽しめる木々たちが広がっています。アカゲラが飛び回ったりオシドリがドングリを食べているのはこの辺り。しかし、低山帯や

山地帯は人の手が入った人工林や、二次林（自然災害や伐採などで一度森林が失われ、その後落葉樹が育ってきた林）が多いエリアでもあります。人工林はキクイタダキが近年定着したり、二次林はヤマガラが生息していたりと、野鳥たちがたくましく暮らしている様子がうかがえます。

そして、1,500m〜2,500mあたりが【亜高山帯】で、ホシガラスも大好きなシラビソやコメツガなど針葉樹の多いエリアです。さらに登って、森林限界を超えると【高山帯】が広がります。コケモモやクロユリといった背が低く日常では珍しい植物たちばかりで、イワヒバリがさえずったり、運が良ければライチョウに出会えるかもしれない特別な世界が広がっているのです。

PART 2

知って
見つけて
愛おしい野鳥

初めて見たとき驚いた
記憶に残る野鳥たち

この章の始まりは、野鳥たちとの出会いに注目してみようと思います。いくらベテランバーダーさんでも、初めてみたときの衝撃が忘れられない鳥がいるのではないでしょうか？ その衝撃の出会いが興味に変わり、野鳥の魅力や生態を知るきっかけにもなります。私が出会って驚いた野鳥たち。その出会いのエピソードを紹介します。

日付：2015年 4月×日
天気：晴／くもり
時間：AM 7:00〜探鳥スタート！
場所：○○／初ヤツガシラ！
〈見た鳥〉ミユビシギ、セイタカシギ、タシギ、
クヒバリ、ミサゴ、ヤツガシラ、ダイサギ、コサ

初めての出会い。
その記憶をノートなどに記録しておくと
一生の思い出になることも。

探鳥1日めは、島の南東部からスタート

最

鳥が気になる行動をしていた
ときは、後に図かんを見て確認
すると答えが見つかることもある。

たたんでいる

せわしなく頭を上下させる

声の方を探してみると、なんと…ヤツガシラ！
しかも 5羽〜6羽いる！初ヤツガシラ！

クチバシで地面をつっついている。
？何を食べている？？
└ 昆虫 クモなど（両生類も）

キ ジ 【雉】

小学生の頃、キャンプに出かけた山で初遭遇。派手で大きな鳥の出現に思わず「孔雀！」と叫んだら、父が「キジ」だと教えてくれました。キジは桃太郎で知っていたけれど、実際に目の当たりにしてその迫力に驚かされました。

逃げるときは走ることが多い

結構速い！

体羽を逆立てふくらんで体を大きく見せて求愛
↓

スキ ♥
スキ
スキ

←頭を下げる

←そっけない
〈メス〉
ベージュで地味

繁殖期になると赤く肥大する

目は黄色

←紺味が強い

ベージュブラウン
↓

浅い水色が美しい
↓

本州、九州、四国で年中見られる。
農耕地や草地などに生息。
我が家の近所では河川敷にすんでいる!!

ビリジアン

長い尾羽

意外と身近にいるよ！

日本の国鳥

1947年
日本鳥学会により、日本の国鳥に指定された。

－選ばれた理由
1. 日本固有種
2. 一年中姿が見られ人里近くに生息
3. 美しい姿が人々の関心をひく
4. 狩猟の対象として親しまれる
5. 古事記など古文献に登場し「桃太郎」で子供にも親しまれている
6. オスは力強く男性的、メスは非常に母性愛が強い

育児はメスだけで行います。餌を探すときも何をするときも、片時もヒナのそばから離れません。産まれて間もないヒナは、自分で体温を維持することもできないため、餌を与えたり教えたりするかたわら、ヒナを抱いて温めてあげるのもメスの大切な仕事。そんな子育ての様子を見ていると、ついつい感情移入してしまいます。

ことわざ
やけのきぎす よるのつる
焼け野の雉、夜の鶴
－キジのこと

キジのメスは、野焼きが行われると、自らを犠牲にしても子を救おうとする。

ツルは寒さ厳しい冬の夜、自らの羽で子を包んで守る。

親の子への愛情の深さを表すことわざ

子は宝!

子連れのメスに出会うことがあります。ストレスをかけないように近付くことは控えますが、それでも母鳥の警戒の気迫はこちらがひるむほど。

母は偉大だ!!

オシドリ【鴛鴦】

美大生時代、スケッチに行った池で集団のオシドリを目撃！　日本画などのモチーフとしてお馴染みの鳥だけど、実際に見ると、絵画を超える美しさと愛らしさに感動しました。鳥を描く奥深さを知った貴重な経験です。

グリーンから赤っぽい色のグラデーション

大きく目立つオレンジ色の羽

くちばし小さめ赤ピンク

紫

全長〈オス〉48cmくらい

イチョウヨヲ

イチョウの葉みたい

オシドリのオスの風切羽の一部

イチョウヨヲと呼ばれる。

意外にも、木の上にいることが多い

〈メス〉

目のラインの白は後頭にラインオ状につながる

グレー

シマもよう

メスは全身がベージュトーンで地味！！

足は彩度が低いイエロー

木に登るカモってちょっと意外だよね！

樹木に囲まれた湖や渓流、ダム湖などに生息も
水生昆虫なども食べるが種子果実など植物性の食べ物を好む。
中でもドングリが大好き！！

78

ある夏の日…
湖でくちばしの色がちがう
メスを発見!!

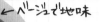
← ベージュで地味

「
これはナニ!?!?
まさかの大発見かも?!
」

赤っぽいピンク →
(通常、メスはグレー)

調べてみたら ナント「エクリプス」と呼ばれる状態 のオスだった。

← どっちもオス →

〈非繁殖期〉
夏の一時期だけ
見られる

〈繁殖期〉

← 鮮やかオレンジイエロー →

くちばしや足の色は
変わらないから
知っていればメスとの
見分けはカンタンだネ。

エクリプス

繁殖期を終えたカモ類のオスは
メスに似た地味な羽色にかわる。
この羽の状態をエクリプスという。

メスの羽色は地味で、敵から身を守る保護色になっています。逆に
オスが派手なのは、メスからの選別やオス同士の争いの結果、派手
な方が繁殖に有利に働いたから、とも考えられています。派手さで
命の危険もあるオスにとって、エクリプスの時期はひとときの休息
なのかもしれません。

シノリガモ【晨鴨】

主に北日本に冬鳥として飛来するシノリガモは、私にとってまったく馴染みのない鳥でした。しかし、突然の出会いをキッカケに一躍大好きな野鳥に！ この特別な出会いが待っているから、野鳥観察をやめられないのだと思います。

白斑が印象的

←青みのある黒

ブルーグレー

〈オス〉

個性的な色柄!!

全長42cmほど!!

メスは、全体的にグレーがかった茶色で地味!
顔の白斑も、オスと比べると
ハッキリしない
↓

〈メス〉

オスと同じく →
丸い白斑

↑
おなかは
やや白っぽい

英名は…

Harlequin Duck
ハーレクイン　ダック

Harlequin
ハーレクインとは、
中世の道化師のこと。

また、形容詞では
「まだら模様の」と
いう意味もある。

キャンピングカーで北海道を旅したことがあります。自然を観察したり写真撮影をしたり、とても思い出深い経験です。ある早朝。朝霧の海岸沿いを散歩していると、足元の岩陰から、黒く滲んだ複数の影がスッと滑り出てきました。目を凝らしてみると、そこには初めて目にする艶やかなカモが泳いでいたのです。

岩陰で休んでいたらしい。
足音でびっくりさせてしまった!

ビックリだネー
ビックリした
あービックリ…
ビックリした…!!!

↑岩場のある
水流の速い海を
好む傾向がある。

シノリガモを漢字では
晨鴨と書く。

晨

音読み：シン
訓読み：あした、よあけ
　　　　とき
意味 ①明日、朝、夜明け
　　 ②とき、ときを告げる

家に帰って漢字の意味を
調べたら びっくりしたヨ。

私に夜明けを
告げてくれた晨鴨
まさに、その名の通りの
体験だった。

マナヅル【真鶴】

鹿児島の出水を中心に、九州の一部で越冬することが知られているツルの仲間。昔は全国で見られたらしいのですが、現在は数を減らしており絶滅が心配されています。家族で行動することが多く一羽で見かけることはまれです。

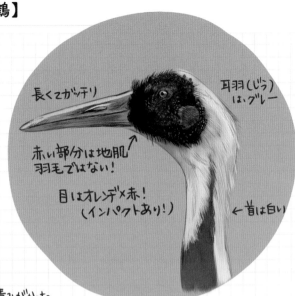

長くてガッチリ

耳羽(じう)はグレー

赤い部分は地肌
羽毛ではない!

目はオレンジ×赤!
(インパクトあり!)

←首は白い

青みがかったグレー

絶滅危惧種で世界にも6千〜9千羽しかいないといわれている。
(その内、約半数が出水で越冬)

群れで行動

雑食で、植物や小動物を食べる.

全長
約112〜127cm

11月頃日本に飛来し2月頃まで滞在する。

水田など低草で湿っていて開けた場所を好む!

日本は貴重な越冬地なんだネ!

ある冬、島根でバードウオッチング中…
ナント
「マナヅル」を発見!!

ピックリポイント

1. 島根には何度も来ているが
   マナヅルに会ったのは初めて。
2. たった1羽でいる

さみしそうに見える →

小さな用水路

え・えっ ここで まさかの…ツル?!

私の推理によると

迷子だ!!!
（確信）

? ? ?

鳥の迷子のことを、迷鳥という。

ここはどこ?
みんな（仲間）はどこ?

めいちょう
迷鳥

悪い天候など、何らかの要因で、
その種が本来生息し、分布しない地域に
迷って来たかのように見える野鳥のこと

＊若い個体に多いといわれている。

イチゴイチエ

こんなに間近でマナヅルを
見たのは初めてだったので
本当に興奮したよー!

後に、わかったことだが、マナヅルはまれに島根に
迷い込むことがあるらしい。

野鳥観察は「出会い」だと思っています。「見たよ」と言われて行っ
てみても見られない日もあるし、思わぬ鳥に出会うときもある。だ
から、見たい見たいとがっつくよりも、嬉しい出会いに微笑む方が
私には合っている気がします。マナヅルとの出会いもまさに予想
外。突然の出会いほど、鮮明に記憶に残るものです。

タゲリ【田鳧】

この鳥を初めて知ったのは図鑑でした。「こんなに美しい野鳥がいるのなら、いつか見てみたい」と夢見たのが始まりです。実際に見ると想像よりかなり大きいことに驚きました。ハトほどの大きさの鳥が、集団で飛んできたのです。

翼は大きめ→

鳴きながら飛ぶ

腰が白い

おなかの白と翼の黒のコントラストが美しい！

全長約32cm

ニックネームは「田んぼの貴婦人」

長く優美な冠羽

タマムシ色で美しい！

目はパッチリ！大きい

チドリの仲間

丸みがある

ミュー　ミュー

ミュー

ミュー

集団で行動する

仔猫のような声で鳴く

集団で降り立ち、地面の虫や小さな巻貝などを食べる。
チョコチョコと右へ左へ…と走りまわる様子はまさに千鳥足（ちどりあし）！

フワフワと飛ぶよ

比較的警戒心の強い鳥だと感じます。開けた水田や草地にいて、視覚を頼りに採食をするので、外敵の接近に気付きやすいのかもしれません。だからそーっと観察しないと、すぐに逃げてしまいます。しかし、じっと待っていると意外と近くに寄ってくることも。冬のタゲリ観察は寒さ対策を忘れずに！

● 水が張られた田に集まっていた ●

近年珍しくなった冬期湛水の水田

とうきたんすい
冬期湛水

稲刈が終わった水田に冬の間も水を入れておくこと。
ミミズや虫が増えるので冬場、野鳥たちにとって大切な環境。

冬期湛水をすると、野鳥が集まりそのフンで土が肥よくになるといわれていた。
しかし、化学肥料の普及で一時衰退した。
近年、環境保護、生態系保護の観点から見なおされつつある。

┌─ **フィールドスコープ**のススメ

距離のある対象を観察するのにフィールドスコープが向いている。

　メリット
　・双眼鏡より倍率が高く遠くまで見える。

　デメリット
　・倍率が高いので手ブレが起きやすい。
　　↓
　　三脚が必要 … チョット荷物が増える。

よく見える!!

スケッチをするとき、フィールドスコープは大活躍だよ！

セイタカシギ【背高鷸】

てっきり干潟にいるものと思いきや、内陸の水田で初めて出会い驚いた記憶がある鳥。そのときはケリを観察していたのですが、なんか一羽違うやつが混じってるぞ！　とよーく見てみると、憧れのセイタカシギじゃないですか！

オスの後頭から首にかけて、白いものから黒いもの、茶がかったものなど、いろいろ。

← 長い！

〈オス〉

おなかは白い

脚が長いので水深の深いところまで歩いて行ける

全長37cmほど

脚のみの長さは25cmくらい

きれいな鮮やかなピンク

食事中は首をふりながらチョコマカと動きまわる。とてもせわしない。

メスは茶色っぽい

ゴカイや甲殻類、昆虫などを食べる

〈メス〉

メスの頭のうしろの色もいろいろだがうすいベージュが多い

後頭がグレーのオス

こっちは白い↓

干潟をはじめ水田やハス田などさまざまな水辺で見られる。

私が、初めて描いた日本画はフラミンゴで、動物園に何日も通って
スケッチしました。そのとき「鳥の脚ってそっちに曲がるの？」と
驚いたのが【踵（かかと）】との出会いです。よく見る小鳥だと、
かかとの位置がわからなかったのです。それ以来、脚の長い鳥を見
るとそのときのことを思い出します。

PART 2

・鳥の脚の構造・

太もも
ヒザ
スネ
足の甲
あしゆび
カカト

鳥の太モモやヒザは
羽の中に隠れていて
見えない状態。

フムフム

セイタカシギみたいに
脚が長い鳥はスネまで
見えているんだネ！

一見ヒザに見えるところは、
カカト

小鳥の足は カカトから
上の部分は隠れがち。
カカト

この状態を
「座っている」と思いがち
だが…

カカト

人で考えると、
「中腰」かな？

これは、座っていると
いえそう

カカト

人で考えると…
「正座」に近いのかな？

ハイイロチュウヒ【灰色沢鵟】

時に、強烈な印象が脳裏に焼きつくことってありませんか? 私はこの鳥を初めて見た夜、その特徴的な顔が夢に出てきました。その日から、なんだか妙に気になるアイツ。また会いたくて、翌週も観察に出掛けてしまいました。

メスは、全体的に茶色い

大きな翼

＜メス＞

平たい

全長
52cmほど

白い ↓

↑
ダークブラウンの縦斑

翼の先は黒い
↓

＜オス＞
全長45cmくらい

←腰は白い

ライトグレー →

おなかよ
白っぽい

Hi!

／バーダーさんの間では
ハイチュウという愛称で
呼ばれることがあるェ！

河原のヨシ原や開けた草地、
湿地などを好む。

カエルや小鳥、昆虫、小動物
などを狩って食べる。

広大なヨシ原に日が落ちようとしていた夕刻、地元のバーダーさん
と立ち話をしていたときのことです。「あ！　ハイチュウ！」その
方が、私の後ろを指差しながら教えてくれました。振り返ってみる
と、赤く染まる空を背景に、大きな翼を広げたメスがヨシ原の真上
すれすれをゆっくり飛んできていたのです。

● 初めて見たとき、とても低いところを飛んでいたけど…・・ ナゼ!?

一般的な猛きん類は、主に高い所から獲物を探して
視覚をたよりに狩りを行う。
　一方、チュウヒの仲間は視覚の他に聴覚も大いに利用して狩りをするため
低い位置を飛ぶことが多い。

硬い羽毛

フクロウ類と
似た形状
→

がん　ばん
顔盤

目の両ワキに見られる羽毛の
もり上がりが集音器の役割をする

顔盤の表面で音を反射させ耳に送る

ジリッケイジョー

オオジロ

チュー

こんな顔のタカの仲間
はじめて見たよ!!
大興奮！

89

ヤマセミ【山翡翠】

カワセミを初めて見たとき、スズメほどの大きさと思っていたので、ひと回り大きな体格にびっくりした記憶があります。だけど、ヤマセミのデカさにはもっと驚きました。写真などでは伝わらない、生の迫力に言葉を失いました。

＜オス＞

ヒファンキーな冠羽

とてもとても
美しい!!

白と黒のかのこ模様

胸に
オレンヂブラウン
が入るのが
オス

全長38cm
くらい

＜メス＞

キャッ
キャッ
キャッ

メスは
翼のうら側はオレンヂブラウン

メスの胸部
は、白黒の
モノトーン

山あいの渓流や湖沼に生息し、
周囲に樹木が生えていることも重要

日本で見られるカワセミの仲間で
一番大きい。

とても キレイな
鳥だ――

水深が深めの川が好き!

90

「キャッキャッ」これは絶対ヤマ
セミの声だ！ そう思ってから
姿を見るまで、なんと8時間待
ちました。心が折れそうになっ
たそのとき、現れたのは一羽の
メス。なんて美しいの。そして
デカイ！ 初めて見るヤマセミ
の姿に言葉が出てきません。
やっとの思いで口を開きかけた
その瞬間。彼女はスッと飛び去っ
てしまったのです。

●ヤマセミは 想像より大きい●

ヤマセミ
全長38cmほど

カワセミ
全長17cmほど

スズメ
全長14.5cmほど

● 大きさのちがいは 体型だけではない ●

ヤマセミとカワセミの比較調査の結果
子育て中に捕まえる魚は、種類ではなく
大きさで選ぶ傾向があった。

食べものでケンカしないネ。

カワセミの獲物
平均7-5cm
（推定）

ヤマセミの獲物
平均12.8cm
（推定）

オナガ【尾長】

私は福岡県筑後市出身です。筑後でおなじみの野鳥はカササギ（→p.94）。尾が長く小柄なカラスの仲間です。そして、東京に越してきて出会ったのがオナガ。初めて見たときはそっくりでびっくりしましたが、今ではオナガもなじみのある鳥になりました。

← ブルーグレー

黒いベレ帽

長い尾羽

先は白

幅が広めの翼

全長約39cm

中部地方以北に生息。
西日本のバーダーにとっては憧れかも。

カササギと
シルエットは似ている。
でも、オナガの方が
小さい。

にごった大声で鳴く。
集まるとかなりにぎやか。

グループ行動

ギャー

ギャー

ギューイ

ギューイ

関東では住宅地や
公園などにも生息。

愛知の友人長尾さんは 名前に親近感のある
オナガを一度生で見てみたい!! と言っていたよ！
オナガは 西はどのへんまでいるのかな？

ある夏、ツミの巣を発見。そして、となりには、オナガの巣も!!
オナガがツミの巣の近くに営巣するって本当なんだ!!

ツミ
営巣中

国内最小の
タカの仲間
全長約27〜30cm

ツミの近くなら
外敵を追いはらってくれるから
安心だけどな。

オナガ
営巣中

以前、オナガはツミの巣の近くに
集まって繁殖することが多かったが
近年行われた調査では、
必ずしもそうでないことがわかっている。

?

オナガにとって
営巣時のツミの
存在は以前ほど
重要ではなくなった。

自分のことは
自分でね。

他人に頼ってばかりじゃダメ!
アイツ、そんなに頼りにならないかも。

「自分の巣の目立ちにくさ」が優先される
ようになってきた。
でもまぁツミが近くに営巣している
場所なら尚さらよし!!

鳥の生活も
日々変化して
いるんだネ

ツミは昨年の夏、2回目の繁殖をこの巣で行いました。お隣のオナ
ガも順調に子育てを行っています。来年もここで営巣するかはわか
りませんが、両種とも一年を通してこの付近に生息しているし、繁
殖実績も確認できたので、翌年も同じような状況になる可能性はあ
ります。引き続き様子を見ていきたいなと考えています。

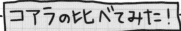

コアラの比べてみた！

・オナガと カササギ・

オナガは関東を中心に
中部地方以北に分布。
一方、カササギは佐賀平野を
中心に主に九州に分布している。

鳴き声から
カチガラスとよぶ
地域も

カチ カチ
カチ

← 青や緑の光沢

オナガ

全長
約39cm

← 長い尾羽

長い尾羽がどちらも
印象的なカラスの仲間！

カササギ
全長約45cm

カラスよりひとまわり小さい

・セイタカシギとオオソリハシシギ・

セイタカシギ
全長約37cm

オオソリハシシギ
全長約39cm

セイタカシギの脚の長さは
シギやチドリの仲間の中でも
とび抜けている。

全長が同じくらいのオオソリハシシギと
比べると、こんなにちがう！

← びっくりな
長さ!!

他のシギやチドリ
と比べると
驚くほど長いよネ！

メジャー

・ハイイロチュウヒのメスとチュウヒ・

ハイイロチュウヒのメスと
チュウヒは、とても
似ているので
見分けるのは
なかなか難しい。

翼の角度が浅い

翼の角度が深い

＜メス＞

← 腰が白い

生息地でも
似ているエ！

チュウヒ オス全長約48cm
メス全長約58cm

お面のような
模様

ハイイロチュウヒ
オス全長約45cm
メス全長約52cm

観察ノートのススメ

記録をつけることが苦手な私は、毎年意気込んで日記帳を買うものの、最初の4ページほどしか使わなくて必ず悔しい思いをします。西暦が表紙に書いてあるので、翌年にはただのメモ帳になってしまうからです。しかし、野鳥観察ノートだけは、楽しくて何年も続けています。こう言うと必ず「偉いねー！ ちゃんと記録を続けて」と言われるのですが、ちゃんと記録はつけていません（笑）。本当にメモ程度。気づいたことを書き記したり、その横に可愛い絵を添えたり。日付も書いたり書かなかったり。皆さんが想像するような【ちゃんとした記録】とはほど遠いものを、楽しく何年も続けているだけなのです。

しかし、この些細な記録がとても役立つ場面があります。それが、この本を執筆している最中にも幾度となく訪れました。約10年前にヤマセミを初めて見たときの感動を、昨日のことのように思い出すことができたのです。「また会いに行きたい！ あの場所にはまだヤマセミはいるのだろうか？」そんな野鳥たちへの思い出がたくさん詰まった観察ノート。私の宝物だなと改めて気付かされました。そして何より、毎日の観察をより魅力的なものにしてくれていると感じます。野鳥は思いのほか規則正しい生活をしているので、記録をつけていると個体識別ができることもあり、より深い観察に結びつくことがあるのです。

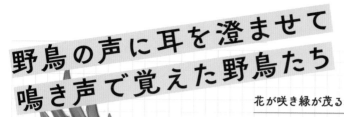

野鳥の声に耳を澄ませて
鳴き声で覚えた野鳥たち

花が咲き緑が茂る春から夏。野鳥たちの歌声自慢が集い、さえずりの祭典が行われます。古くから、鳥の鳴き声を覚えるために【聞きなし】という方法がとられてきました。これは、鳥の鳴き声を言葉にして覚えるという方法です。このチャプターでは、鳴き声が特徴的な野鳥をピックアップして紹介しようと思います。

ピリリ
ピリリ

まず、鳴き声が聞こえてから
鳥の存在に気がつく。
実際にフィールドでは茂った葉の中から
出てくるのを待っていることが多い。

センカラカラカラ

姿が見えにくい時期だから、鳴き声を
覚えておくと種の特定がしやすくなる。

トッキョキョカキョク
（特許 許可局）

このホトトギスの「聞きなし」を
考えた人はスゴイ！
本当にそう聞こえる！！

鳥によって、さまざまな聞きなしが
あるので覚えておくことがポイント！

キュロロロロ

・体験談・
私は アカショウビンの
鳴き声をおぼえていたので
姿は見えなかったが
存在を確認できた！

次の日にもう一度
見に行くと
姿を見ることができたよ！

ホトトギス【杜鵑】

古くより日本人に馴染み深かった鳥。万葉集ではなんと153首と鳥の中で一番多く詠まれています。漢字では通常「杜鵑」と書きますが「早苗鳥」や「橘鳥」など、じつに多彩な呼び名があるのも親しまれてきた証拠です。

黄色のアイリングが目立つ

ハッキリした
ストライプ

←濃いブルーグレー

前指2本

鮮やかな黄色

全長約28cm
ヒヨドリくらい

鳴きながら飛ぶが
昼だけじゃなく、
夜も鳴くことがある。

キョッ
キョ！キョキョ
キョ

声はするけど姿を見るのは
ムズカシイ

木々がまばらに生えているような林でよく見かける。都市公園でも声を聞くことができる。

うちの子ッ大きくてよく食べるから大変なの

ウグイス

ごはんー!!
ごはんー!!
ごはんー!!

ホトトギスのヒナ

ホトトギスは、他の鳥の巣に卵を産み子を育てさせる。＝托卵（たくらん）

PART 2

昔の人は、鳴き声を「ホットホトギー」と聞きなした。

くホットホトギー

ホットホトギーってないてるなぁ

奈良時代の歌人大伴家持は、万葉集の中で一番多くホトトギスの歌を詠んだ。

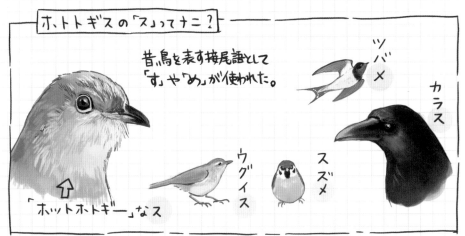

ホトトギスの「ス」ってナニ？

昔鳥を表す接尾語として「す」や「め」が使われた。

ツバメ

カラス

ウグイス

スズメ

↑「ホットホトギー」なス

5月ごろ繁殖のため日本へ渡ってくるので、夏の訪れを告げる鳥として親しまれてきました。そのため「時鳥」や「田歌鳥」など田植えの時期を告げる異名も多いようです。また、一日中鳴き続けることから「百声鳥」と呼ばれることもあります。本当に沢山の異名があって、この鳥がいかに身近だったかがうかがえます。

サンコウチョウ【三光鳥】

深緑の薄暗い森をひらりと舞う小さな鳥。その姿はまるで妖精のように魅力的です。でも、とにかく観察しづらい！　暗い森に黒い鳥が飛んでるのだから当然。沢沿いなど、水場のある針葉樹林を好む森の妖精です。

← ぶ厚いアイリング

↖ コバルトブルー

〈オス〉

← やや紫味を感じるギラッとしたメタリックな光沢

小さな足 →

全長約45㎝
尾の長さを含む数字
ボディーは小さめ

長い尾羽をひるがえし春に日本へやって来て秋には日本をさる。

夏の間を日本で過ごす夏鳥

飛びながら虫をつかまえる。

長さは30cmくらい（個体差アリ）ボディの2倍近い長さで大迫力

〈メス〉

メスは尾羽が短い。全長は約17cmくらい

日本を去る秋前には、長い尾羽は抜けおちる。

抜けおちた尾羽をいつか拾ってみたいなぁ

● 名前の由来 ●
サンコウチョウの鳴き声は「ツキヒ,ホシ,ホイホイホイ」
と聞きなされる。

ツキ　　ヒ　　　ホシ

＼ロマンチック／ ♥

三つの光の鳥

三光鳥

ホイホイホイ

PART 2

←ホイホイホイ

鳴き声を頼りに
場所を特定するのがよい。
比較的高いところを
飛ぶため、頭上を探す。

＼高い…／

ある日、森の中から「ツキヒーホシホイホイホイ」と聞こえてきました。サンコウチョウの登場を今か今かと待っていると、顔を出したのは、なんとガビチョウ！モノマネをする歌声にだまされてしまったのです。でも、モノマネをするということは、サンコウチョウが近くにいる証拠。探すためのヒントになります。

どうも
どうも

←ガビチョウ

サンショウクイ【山椒食】

東南アジアといえば辛い食べ物を連想します。その東南アジアから「辛い」と鳴きながら渡ってくる鳥がいるとしたら、どう思いますか？ 実際に「カライ」と鳴くわけではありませんが、この鳥の鳴き声は、まるでスパイス料理を食べたような鳴き声です。

パキッとした黒。(オス) →

カギ状

チャコールグレー ↘

シュッと長めの尾羽

全長約20cm
キセキレイくらい

スマートでシャープなシルエット！
モノトーンでクールなカラーリングもあいまって 絵になる。

〈メス〉

メスは
全体的に
色がうすい。

フライングキャッチで
虫を捕まえる。

サンショウクイは高い木の上部で
見かけることが多い

見上げて
探してネ！

落葉広葉樹のとくにトチノキやオオノキなどが
ある森を好む。

白い帯状の
ライン

翼を広げると28cmほどになる。
飛ぶと翼に白い帯状のラインが見える。

スズメ目サンショウクイ科サンショウクイ属

PART 2

学生の頃、木の枝に群れるハクセキレイを見つけてビックリした記憶があります。しかし、よく見てみると何かが違う？　その鳥がサンショウクイだと知ったのは、友人に教えてもらってからです。そのときの経験を思い出すと笑ってしまいます。でも、柄や鳴き声が違うので今では間違えることはありません。

ピリリ！ピリリ！

名前の由来

山椒食といっても、サンショウの実を食べるわけではない。

サンショウは小粒でも、ピリリとからい

というコトワザがある。
つまり、ピリリ！ピリリ！と鳴くこの鳥は、
サンショウを食べて「カライ！カライ！」と鳴いている
ようだ、とついた名前‼

┌─ 最近見かけるそっくりさん

リュウキュウサンショウクイ（日本固有種）

← 額の白いところがせまい

背中は黒っぽい→

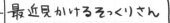

胸からおなかにかけて、
グレーのグラデーション

サンショウクイ

最近飛来数が減少中

もともと沖縄や九州南部のみに
生息していたが
近年、北へどんどん分布を拡大している。

鳴き方もフォルムもそっくり！
見分けるのは難易度が高いね…

103

コマドリ【駒鳥】

日本三鳴鳥に数えられるほどの美声の持ち主。小さな体で一生懸命さえずる様子は、私好みの頑張り屋さん。そんなコマドリはヒンカラカラと鳴きます。この鳴き声が仔馬のいななきに似ていることから駒（：仔馬の意味）鳥と名付けられました。

ヒンカラカラカラ

← 後頭は、やや オリーブがかる

← オスは 渋みのある ミカン色
（メスは 少し淡い色）

おどろくほど 大きな声で鳴く

黒いライン

暗いグレー × オリーブ

脚は長め

オス全長14cmほど
スズメ くらい

翼をバタバタ

小川の浅瀬で
水浴びをする
コマドリ ↓

鳥は水浴びをすることで羽を清潔に保つ！また羽についた寄生虫を除去する効果もある。

水浴びの姿はとてもカワイイ！でも、カワイイだけじゃなく健康のために必須なんだね！

地面に近い場所を動きまわり、虫やミミズなどの食べものをさがす。コマドリを探すときは目線は低い方がGood!

コマドリで面白いのが学名です。学名とは世界共通の鳥の種名のことで、主にラテン語で表記されています。中には日本語が使われている種もいて、コマドリの学名は「Larvivora akahige」です。一方、アカヒゲという鳥もいて、学名は「Larvivora komadori」。そう！逆になっています。

〈コマドリ〉

19世紀にオランダで出版された「新編彩色鳥類図譜」にて学名を付ける際に取りちがえられたまま今に致る。

〈アカヒゲ〉
日本固有種

オスは、顔の半分から胸部が黒い

大きさは、コマドリくらい。

AKAHIGE

うっかりした...

テへ...

KOMADORI

コマドリは笹などの下草が茂る森を好むため階層構造の発達がとても大切!!

森の階層構造
高さの違う草木が幾重にも重なり合う、森林の構造のこと。近年このような森林は減っており、野鳥減少の一因となっている。

こういう森には鳥だけでなくたくさんの生き物がくらしているよネ。

アカショウビン【赤翡翠】

尾羽を上下にぴょこぴょこ
動かす可愛い真っ赤な鳥。
木々の茂った場所にいるの
で、姿を見るのは一苦労と
いう曲者です。森の中から
鳴き声が聞こえてくるもの
の、草木が険しくて近づけ
ない！ と辛い思いをする
ことも。

やや紫がかった色
光沢がある

サンゴのような赤
大きなくちばしは
下の方が大きい

白と
ルリ色が
チラリ

胸はオレンヂイエロー

全国に飛来する
夏鳥だが局所的

全長27cm
カワセミより ひとまわり大きい

よく発達したブナ林などが好き。
また、川や湖のある森に生息。
緑の中の赤はよく目立つ。

出会え
たら
ラッキー！

魚やカエル、サワガニなどの他
地面に降りて カタツムりや
は虫類、昆虫類などいろいろ捕食

シャベルみたいな下クチバシで
獲物をすくうように Getするよ！

しかし地面に降りるととたんに
落ち葉にまぎれて見えにくくなる！

● 鳴き声を分析してみた ●

キュロロロロ〜

音程が徐々に下がっていく
独特な鳴き声

よっ！ 録音してMIDI*に
変換してみよう！

*MIDIとは…
音楽の演奏情報を
数値化し、データ化したもの

本物の声とMIDIの
音声を聴き比べて
みてネ！

独特の歌声は、一度聞くとすぐに覚えてしまいます。興味が湧いて
録音して分析してみた結果、個体差がありますが、おおよそ「ド♯」
から「ソ♯」の間を20音ぐらいに分けて下降していることがわか
りました。音楽では「ド♯」から「ソ♯」は6音ですので、約3倍
に分割して発声していることになります。

● ムリヤリ楽譜にしてみた ●

音符にできない音が多いから
アカショウビンの歌は、ピアノで
再現できないよ…。

ボクの
オリジナルソング
真似してみて！

鳥は人と比べて、
音程やリズムを
聴きとる力が優れて
いるといわれている。

オオヨシキリ【大葦切】

蝉の大合唱を聞くと「暑苦しい」と思う反面、夏の楽しい思い出が一気に脳裏をよぎります。この鳥も負けていません。河原で熱く鳴き続ける彼らの声を聞いていると、夏の日の思い出が鮮烈に浮かんできます。

ギョギョシギョギョシギョギョシギョギョシ

口の中が赤い

←興奮したり力が入ると冠羽が逆立ちがち

オリーブ×ベージュ

←おなかは白っぽい

ヨシ原を好む
全長は18cmくらい

力のあるオスは草が密生した場所にナワバリをもつ

ギョギョ…

すっかすか…

力の弱いオスは草の密度の低い場所にしかナワバリをもてない…。

〈メス〉

密度が高くてステキ♡

＼オレ！モテル！！！／

キリッ

密になっている方が外敵に見つかりにくいから安心して子育てできるエネ！

108

スズメ目ヨシキリ科ヨシキリ属

「ギョギョシ！　ギョギョシ！」さあ、今年も暑い季節の到来です。
夏のヨシ原の賑やか番長。オオヨシキリの声がけたたましく響き渡
ります。とにかく一日中鳴いている彼ら。なんと夜通し鳴くものも
います。なぜにこんなに頑張るのか？　じつは「嫁に来ないかー？
僕のところへ！」と猛アピールしているのです。

PART 2

● 急に鳴くのをやめてしまう!?

あれだけ大騒ぎの
ギョギョシ祭だったのに
ある日 突然、
鳴きやむオス。

・・・・・

〈オス〉

ボク、カモクな男デス。

あたし、巣作りしなきゃ

〈メス〉

無事にカップル成立！
メスが巣作りを
スタートすると、
オスは すっかりおちつく。

やっと おちつけてよかった！
おしあわせにネ！

ホッ

● また盛大に鳴きはじめる!!

メスの巣作りが終わり、卵を産む頃、
またオスは 大声で鳴きはじめる。

なぜ──!!??

それは、次の嫁を探しはじめるため。

オオヨシキリは一夫多妻。
1シーズンに2羽目、3羽目の
お嫁さんを迎えることがあるよ。

オレは、またヤルゼ！

ヒバリ 【雲雀】

ヒバリは、いつも同じよう
に鳴いていると思っていま
したが、飛び方で鳴き声が
変わると知ったのは図鑑を
読んでから。実際に観察し
てみると、本当に図鑑のと
おりに鳴いていて、思わず
笑ってしまいました。それ
をきっかけに、鳥を「見る」
だけでなく「知る」楽しみ
を覚えた気がします。

オスは逆立ちがちな冠羽
（求婚のときやさえずるとき）

サンドベージュ

茶色い
ドット

後趾のツメがとても長い

全長17cm　スズメよりやや大きめ

繁殖期に求婚やなわばり宣言のために
飛びながらさえずる。
　　　　　　　　—さえずり飛翔という

とてもにぎやかで、元気のいい歌声！

ときどきヒバリを観察に行く飛行場
では、他の場所と比べて、
さえずり飛翔で飛ぶ高さがより高く
行うひん度が少ない傾向があるヨ！

飛行機が行動に
影響を与えているの
では？…と予想している。

春の心地よい陽気に誘われて近所をのんびり歩いていると、空から「ピーチクパーチク」と元気な歌声が聞こえてきます。肉眼では確認できなくなるほど高く飛ぶこともあり、まるで、春の訪れを喜んでいるかのようです。もしこのさえずり飛翔を見かけたら、その鳴き方に注目してみてください。

PART 2

● 飛び方で鳴き方が変わる！●

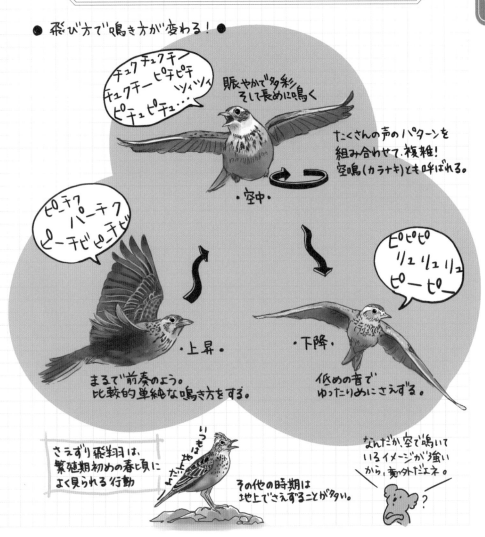

チュクチュクチー チュクチー ピチピチ ツィツィ ピーチュピチュ…

賑やかで多彩！そして長めに鳴く

たくさんの声のパターンを組み合わせて、複雑！空鳴（カラナキ）とも呼ばれる。

・空中・

ピーチク パーチク ピーチビピーチビ

・上昇・

まるで前奏のよう。比較的単純な鳴き方をする。

ピピピピ リュリュリュ ピーピー

・下降・

低めの音でゆったりめにさえずる。

さえずり飛翔は、繁殖期初めの春頃によく見られる行動

いつも地上だよ

その他の時期は地上でさえずることが多い。

なんだか空で鳴いているイメージが強いから、意外だね。

？

111

ミソサザイ【鷦鷯】

「好きな鳴き声は？」と聞かれて真っ先に思い浮かぶのが、ミソサザイの元気なさえずりです。渓流の音にも負けない大きく力強い鳴き声を耳にすると「ミソさんが頑張ってる！」と、すごく元気をもらえる気がします。

黒砂糖のお菓子みたいなコケ茶色

口の中は黄色い

細かなシマ模様（不明りょう）

全長約11cm
日本にいる野鳥の中でもかなり小さい

小さな体で一生けんめいに鳴く姿に感動するよ！

山地の渓流沿いのヤブや岩のすき間などに生息している。（森の中に住む個体もいる）

繁殖のシーズンになると求愛のダンスを踊る!!（オス）

尾羽をふりふり

翼をパタパタ

腰も大きくフリフリ

カワイー！

小さな体で、胸を張るようなポーズ。鳴きながら腰を大きく左右にふるような動き。

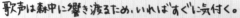

歌声は森中に響き渡るため、いればすぐに気付く。

岩の上などの
目立つところに出て来て
胸を張って堂々と鳴く。

ピ ピ ピ ♪
チョリ チョリ チョリチョリ チョリ
リュ リュリュ チー チー チー

⤶ とても複雑で多彩な音

はげしい渓流の水音にも
負けない大音量.

世界の民話とミソサザイの呼び名

ワシ
と
ミソサザイ

ハンガリー
民話

ミソサザイ

スコットランド
民話

ミソサザイ
は
鳥の
王さま

・民話・

日本昔ばなし

・呼び名・

Roitelet
(小君主)の意味

フランス語

ドイツ語

Zaunkönig
(垣根の王)

世界中にミソサザイの勇敢さや賢さを
讃える伝承や民話、またミソサザイを
表す言葉が数多く存在する!

日本書紀では仁徳天皇の名前の由来とされ、吉兆を告げた鳥として
描かれています。このように、時代や国境を越えさまざまな伝承が
残るミソサザイ。そこには勇敢・聡明・吉相など、地味な小鳥に似
つかわしくない印象が見てとれます。私のように多くの人々が心を
揺さぶられたのだと思うと、いつも胸が熱くなります。

PART 2

コアラの比べてみた！

・ホトトギスの仲間たち・

ホトットホトトギー
カッコー
ジューイチ？
ポンポンポン

ホトトギス　カッコウ　ジュウイチ　ツツドリ

ホトトギスのなかまは、
みんな淖が似ている。

でも 鳴き声がまったく
ちがうから、間違う
ことはないよね！

・サンショウクイと ハクセキレイ・

最初は勘ちがいしたこの2種。
すこし似ているけど、まったく
ちがう種類の鳥。

クチバシから目を
通る黒のライン →

背面は夏は黒く、
冬はグレーになる

こういう勘ちがいも
鳥を覚えるいいキッカケ
になるネ！

色は似ているネ！

〈サンショウクイ〉

オス・夏羽　　　〈ハクセキレイ〉

・オオヨシキリとコヨシキリ・

口の中が赤い
↓

ギョギョ

黄色い
↓

ギョギョ
ピリリ
チリリ
ピ

同じ場所に生息することも
多く、見まちがいには注意が
必要となる。
体格や口の中の色で
見分けることができる！

コヨシキリは、
オオヨシキリやヒバリの
鳴き声を真似することが
あるんだよ！

〈オオヨシキリ〉
オオヨシキリより
高い声
〈コヨシキリ〉

【 COLUMN 】

鳥のコーラス隊

夜 が明ける前。懐中電灯を片手に、静かな森の中を進んでいきます。目的の場所は、夏の木々に囲まれた小さな湖。前日に見つけておいたポイントです。夏といっても、標高1,000mほどの森の中。吐く息は白く、厚めの手袋が勇気をくれます。まだ薄暗い湖に着くと、水面や土からの冷気があっという間に私たちを包み込みました。準備をしていた熱々のコーヒーを飲み、じっとそのときを待ちます。

やっと東の空に微かな光が差し始めたとき、鳥達のさえずりが聞こえ始めました。「キュロン・キュロン・ツリリン、ピュルルツツ、ピィーヨ・ポッピリリ」その歌声は朝日の光と共に徐々に広がっていき、一気に森の色彩

が豊かになるようです。「ピィーリーリリ、キィーコーキー・チン・チン・チュロリー、一筆啓上仕り候！」気づけば、私は【鳥のコーラス隊】に囲まれ、贅沢な一日の始まりを迎えていたのでした。

夏の繁殖期は、鳥たちのさえずりの季節。多くの野鳥が、美しい鳴き声を聞かせてくれます。日中もたくさん聞けるさえずりですが、朝日の時間はみんな一斉に鳴くので特別な時間帯です。その美しいさえずりを全身に浴びることのできる朝のコーラスは、野鳥好きなら一度は体験してほしい！ 朝日と共に目覚めだした鳥たちが「さあ！今日も一日頑張るぞ！」とさえずり始めるのです。

知って見つけて愛おしい
野鳥が見せるおもしろ行動

初心者の頃、とにかく鳥を見つけること
だけで精一杯で、せっかく出会えたのに
ゆっくり観察ができていませんでした。
しかしあるとき、これじゃいけないと鳥
の行動を観察してみることにしました。
そして、楽しむにはまず知る必要がある
と気づかされたのです。知って、その様
子を見つけて、愛おしさが増す。そんな
お話です。

さむい・・・・　→ふっくら

冬は ふくらむ

寒いときの鳥 はすぐにわかる。
羽毛に空気をふくみ
自前のダウンジャケットで暖をとる。

おていれは入念！
↓

羽づくろい

飛ぶために最も重要な羽（翼）。
鳥 は起きている 時間の多くを
羽の手入れに費やす。

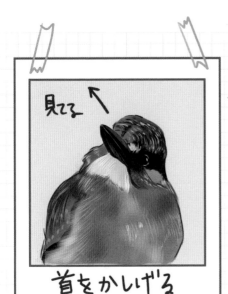

見てる

首をかしげる

鳥の多くは人間のように眼球が
自由に動かない。
そのため首ごと動かして目線を
変えたり視界を安定させる。

首をまわしたり
かしげたりするの…
本当にカワイイ！

リラックスしているときやこれから
飛ぶぞ！ってときには脚や翼の
伸び（ストレッチ）を行うことがある。

見ていると気持ちよさそうで
自分も伸びがしたくなるよ！

ヒ脚ピーン！

あらよっと…

ストレッチ

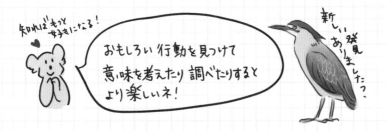

知ればもっと
好きになる！

おもしろい行動を見つけて
意味を考えたり調べたりすると
より楽しいネ！

新しい発見
ありました？

ハクチョウ【白鳥】

ハクチョウは、表情豊かで観察もしやすく見ていて飽きません。ゆっくり落ち着いて観察できるので、いろいろなことを想像しながら描けるハクチョウ。冬になるとよく絵を描きに出かけます。素早い小鳥だとこうはいきません。

← じつはカモの仲間

← 体が大きい

〈オオハクチョウ〉

日本の主なハクチョウは2種類いる。

オオハクチョウ

黄色が多い
→
とがる

コハクチョウ

黄色が少ない

日本へは越冬のため飛来
池や沼、河川などに生息

コー！　　コー！

鳥の中で一番→
頚椎(ケイツイ)の数が多い

← 短め

全長約140cm

全長約120cm

コー
コー！←よく鳴く

大集団で採食する様子がよく見られる。

コハクチョウやオオハクチョウは、家族や仲間のあいだで鳴き声や
ジェスチャーを使い、コミュニケーションをとっている。
相手に確実に伝わるよう、パターン化したハッキリとわかる動作を行う。
そのため、動きや鳴くパターンに何らかの意味があると考えられている。

おじぎのような行動
あいさつや何かの動作や行動をそう。
また警戒が解除されたときなど
広く使われている。

**しきりに声を上げながら
翼を広げる行動**

2羽間では、ケンカの威かくや
勝利宣言。
仲間のあいだでは、喜びを表す
など幅広い意味があるようだ。

ハクチョウたちが、本当は何を考えているのかを知るのは難しいこ
とです。なぜなら、鳴き声や行動から推察をするしかないからです。
しかし、観察をしていると、しきりにコミュニケーションをとって
いるのは確かなように見えます。「今のはこういう意味かな？」と
あれこれ想像することが楽しむ秘訣です。

カワウ【河鵜】

カワウは、身近に見かける鳥ですが、じつはすごく独特な特徴をもった鳥でもあります。「なんだカワウか」と侮っては申し訳ない！彼らの暮らしを知ると、野鳥の奥深い世界を垣間見ることができるのです。

目はエメラルドグリーン

カギ状
つかれだ魚は
はなさない！

茶色っぽい

時々片足を握って
立っている。
たまに左右を
入れかえる。

全長81cmほど
かなり大きい！

〈繁殖羽〉
繁殖期は、地域によって異なるが
頭が白いカワウがいたら繁殖期のカワウ。

頭から首にかけて
白い羽が生える。

脚の付け根
にも
白い斑！

河川や湖沼、内湾に生息、
公園の池でもよく見かける。

獲物は丸のみ

潜水して魚を捕る。
潜水の深さは水面から
1m〜9.5m（!!）で
長いときは約70秒も潜る。

120

カワウは、飛ぶのも潜水するのも得意な【水空両用野鳥】です。他の鳥には見られない潜水に特化した特徴をたくさんもっています。とりわけ特徴的なのが、水を含みやすい羽をもっているということ。浮力を減らし潜りやすくしているのです。しかし、急な大雨で羽が水を含み、飛べなくなったカワウが空から落ちてきたという報告も多数あります。

潜水の達人

多くの鳥は、羽毛に油分をまとわせ、防水性や耐久性を高めているといわれている。しかし、カワウの場合は、この油分を出す器官があまり発達していない。

水がしみやすく
羽に空気がたまらない

一番長い第四趾

水の抵抗が
少ないなで肩

翼はぴったり
体につける

水をけるようにして進む
(脚は後方についている)

第一趾と
第二趾の間にも
水かきがある。
(カモの仲間にはない)

● よく見かける このポーズの意味 ●

水をふくんだ羽は重く、体温の調節が上手くできなくなり、カワウは通常通り飛ぶことが難しくなる。
そのため、水から上がった後は、しっかりと羽を乾かす必要がある。

このポーズのときは、
「はやく飛びたいなー」って
思っているのかもネ。

あ
ー
はやく乾かしたい

ササゴイ 【笹五位】

道具を使う動物のほとんど
が哺乳類か鳥類で、その数
はとても限られています。
また、道具を加工するもの
となると、さらに少数。サ
サゴイは、そんな少数に数
えられるエリート野鳥で
す。

藍色

河川や湖沼に
飛来する夏鳥

笹の葉の
ような模様

目は
黄色

足で顔をかいている

全長52cmほど

←胸は
黄色

ゴイサギに似ているが
ササゴイの方がひとまわり小さい。

多くのササゴイは、岸からじっと魚を狙い
タイミングよく飛びついて捕食する。

スゴイ

よし!
魚来い!

虫

エサだ!

しかし一部のササゴイは、虫などを
まき餌に使って釣りを行うものがいる。
また、羽毛や葉、ゴミなどを擬似餌(ぎじえ)
に使うことも。

釣りに使う餌は場合によって
前処理をすることがある。

ちょっと長すぎるから
短くしましょう~

パキッ

小魚を狙う場合に餌を小さくしたり
小枝を折って短くしたりして
擬似餌に使う。

・道具を使う鳥、使わない鳥・
道具を使う鳥は、特別に賢いと思われがち。
しかし 道具を使わない鳥でも、使う鳥と同等の知能が
あることがわかっている。

これを…
こうして…っと！

キツツキ
フィンチ

細い枝などで
虫をひっぱり出す。

キツツキフィンチとスモールツリーフィンチは近縁種だが
キツツキフィンチが普段から道具を使うのに対し、
スモールツリーフィンチは道具を使わない。

？

道具
？

スモールツリー
フィンチ

この2種類の認知能力を
比較した結果、明らかな能力の
ちがいは見られなかったそう！

道具を使う種の生息環境には、共通の特徴があるといわれています。食料を取り合う相手がいないことと捕食者がいないことです。つまり、道具を使ったり加工したりする【時間的な余裕】があるということ。このことから、道具の使用には高い知能だけでなく、環境が関係しているということが示唆されています。

ササゴイの釣りは世界でも限られた地域のみで観察されている。
日本では特に熊本県が有名。

釣りをしない

釣りをする

私は、ササゴイの生息する環境が釣りという道具を使用する行動に
関わっていると想像している。

123

シロチドリ【白千鳥】

「知って見つけて愛おしい」というテーマに、一番ぴったりだと思うのがこのシロチドリです。身近にいる鳥ですが、存在を知っていないとまず見つからない。しかし、見つけるととても可愛い！ 浜辺のプチアイドルです。

ピル ピル ピル ピル

鳴きながら飛ぶ

ベージュがかったグレー

翼には白いライン

↑ おなかは白い

全長約17cm

砂浜や干潟などに生息。

額に黒い斑

＜オス＞

黒い帯はつながらない

＜メス＞

後趾が退化している→

と三本指

近年、砂浜や干潟が減っているためシロチドリの数も減少している。(絶滅危惧種)

イカルチドリというそっくりさんがいる！

額の黒い斑王は目の黒いラインにつながる

黄色いアイリング

イカルチドリは、内陸の河川や水田、池などに生息‼ シロチドリと同じく通年見られる。

ホントにそっくり！
でも生息環境や額から目にかけての黒い模様で見分けられるネ！

124

集団飛翔が美しく
「チドリ柄」として昔からさまざまな
意匠に使われている。

カワイイ♡

フィールド
スコープ

集団で浜辺を
歩いていることが多い

小さくて保護色なので目を
こらさないと見つからない

演技派

うっうっう……
飛べない……
困った……

擬傷（ぎしょう）

巣やヒナなどに人や捕食者が
近寄ると、傷を負ったフリをして
注意を自分に向けるが
なんと、しだいに巣から遠ざかり
充分に離れたら、
自分も飛び立って逃げる！

この擬傷行動を目撃したらそっと離れてあげてください。なぜなら
それはSOSのサインだからです。チドリの仲間は警戒心が強くなか
なか近くでは見られません。そして小さいので、もっと近づいて見
たくなってしまいます。でも、鳥のストレスを考えると、フィール
ドスコープなどで離れて観察するのがベスト。

ウミネコ【海猫】

カモメと聞いて夏を想像する人も多いはず。しかし、じつは多くのカモメの仲間は冬鳥で、寒々しい灰色の空を飛んでいるイメージです。そんな中、夏でもよく見かけるのはウミネコ。ネコのような鳴き声が名前の由来です。

← 目の周りが赤い！
目は黄色

〈夏羽〉

黄色のクチバシ
先には赤と黒、
が入る.

やや青味を感じる
濃いグレー

全長45cmほど
翼を広げると、115cm
くらいになる。
大きい!!

← 黄色い

漁港や海岸干潟,河口などで見られる.

ミャー
ミャー
ミャー
ミャー

〈冬羽〉

グレーがかる

魚や甲殻類の他
小鳥やほ乳類など
何でも食べる雑食性

大きな獲物も
丸呑みするよ!!

ミャー
ミャー

黒い
オヒ
↓

主に日本近海の沿岸で繁殖
一部繁殖地は国の天然記念物に
指定されている。

ウミネコは求愛の際、求愛給餌を行う。
オスは獲った魚をのみこみ、吐き戻してメスにプレゼントする。

←ちょっと苦しそう

←フライング気味

プレゼント
お、おおえーっと

よく観察していると
想像を上まわるサイズの
魚が出てきてビックリ
させられることも多い！

立派なサバ

初めにメスがオスの
くちばしあたりをつつき
エサをねだることもある。

PART 2

> 鳥の多くは、一夫一妻で子育てを行いますが、じつはその90%以上
> が浮気をします。鳥といえば深い夫婦愛を表す言葉も多く、研究者
> にも「過去40年の鳥類学で最も大きな発見の一つ」と言われてい
> るほど衝撃を与えました。特にDNA親子判定が導入された80年代
> 以降、次々と鳥の浮気が発覚したのです。

ウミネコの場合

イッテキマース！

1 オスが外出

よし、行くか

キョロ キョロ

2 よそのオス登場
— しっかり周りを見渡し
オスの不在を確認

イッテラッシャイ
アナタ

休息中や抱卵中の
メスが狙われがち

コソコソ
ブラブラ

— ゆっくり気付かれない
ように歩く

3 遠まわりしながら
メスに近付く

たいてい、オスが帰ってくるか、メスが嫌がるので未遂に終わり、交尾成功確率は低い。
しかし、調査によると、29つがいで28羽のオスが浮気を仕掛けたことがわかった。

ミサゴ【鶚】

私が、タカの仲間の中でも
1、2を争うほど好きなのが、
このミサゴです。何よりも
その美しい姿！ みごとな
狩りの瞬間が見たくて、何
時間も待つことがあるほど
です。海などに行くと、杭
の上で食事をしている姿を
よく見かけます。

獲った魚は水辺の
木の上や、杭の上に
運んでゆっくり食べる。
↑
かなり時間がかかるので
カラスなどが横どりに
現れることも。

オスは全長54cm
メスは全長64cmくらい

← 白い
← のども白い
← チョコレート
　　ブラウン

海岸や、河口、湖沼など水場が近い
環境に生息している。

翼をひろげると1.5mほどに
なるよ！
とても大きな翼が印象的

主に魚を狩って食べる。
とても上手に捕獲するため「空飛ぶ漁師」の異名も。

狩り名人のヒミツ

おっ、お魚発見！

遠くがよく見える

見晴らしのいい枝の上や空中でホバリングを行いながら、視覚的に獲物を探す！

PART 2

水中メガネを瞼にもつ

鳥はまぶたとは別に「瞬膜」（しゅんまく）という透明の膜をもつ。
ミサゴの瞬膜は、特に透明で水中でも視界の確保と、目の保護を両立できる。

イザッ！！

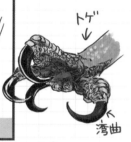

トゲ

湾曲

〈通常〉〈狩り〉

後1本

前3本

2本

漁師の足

足には細かいトゲ状の突起が無数にある。
さらに爪は猛きん類の中で最も湾曲している。
魚をつかんで放さない。

ヤッタ！Get！

可動式の足指

足指は、通常仕様と狩り仕様で、形を変えることができる。

通常は、前指3本
　　　　　後指1本

狩りのときは、
　　　　前指2本
　　　　後指2本！

獲った魚は頭を前にして運ぶ。
空気抵抗を減らしているといわれている。

一瞬の出来事だけどこんなヒミツがあるんだネ！

129

カワセミ【翡翠】

翡翠（ヒスイ）とは日本の国石で、緑色のとても美しい石です。カワセミの名前の由来は、この翡翠から来ているとしばしば目にします。しかし、じつは逆でカワセミのように美しい石なので翡翠と名前がつきました。

頭が大きめ→

美しいブルー

〈オス〉

↑
オスは黒い

オレンヂがきれい

ハッとするほど鮮やかな朱赤→
（小さな足）

全長17cmほど

ヒスイは緑色の美しい石で、宝石となる.

メスは下くちばしが朱色

魚やエビなどを獲って食べる.

〈メス〉

自転車のブレーキ音みたいにするどく高い鳴き声

チ！！
チ！！
チ！！

比較的浅く、流れがゆるやかな川を好む

カワセミの色は光の具合によって青く見えたり緑に見えたりするよ

水面近くをまるで蒼い弾丸のようにびゅーん！と飛んでいく。

130

ジーーッ

枝にとまって、じーっと水面をにらんでいる
カワセミを見かける。
なかなか絵になる光景だが…
それに見とれていると、大事な瞬間を
見逃すことになる。

魚に狙いを定めると…
次の瞬間には、もう水に
飛びこんでいるくらい素早い!
又眼鏡で追うのが大変!!

Get!

意気揚々と魚をくわえて
枝にもどってくる。

たいてい、そのまま呑みこむが、大きな魚の場合は足元に叩きつけて魚を弱らせて
から丸呑みする。よく観察していると、叩きつけ方は2種類あることに気付いた。

正面から 叩きつける

背面から 叩きつける.

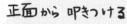

エイャッ!!

ヨイショ!

私は正面を「スウィングヘッドクラッシュ」、背面を「バックスウィングヘッドクラッシュ」
と呼んでいる。

コゲラ【小啄木鳥】

コゲラは、最も身近に観察できるキツツキの仲間。木の幹に穴をあけるスピードは「え？　こんなに速いの？」とびっくりします。小さな体で、木々の間をちょろちょろ走り回っていて、とても可愛いミニキツツキです。

オスは後頭に赤い羽しかし、ほとんど見えない

コゲ茶に白いライン状のドット柄

全長15cmくらい日本で一番小さなキツツキ

木をつついて、中にいる虫を食べる。(木の実なども食べる)

両足と尾羽の3点で支える

ギィー
ギィー
ギィー

木の幹や枝をせわしなく動きまわるので視認するのにやや苦労する。

目をとじている

くちばし半開き

ギーギーっていう鳴き声が独特でバードウォッチングをはじめて最初に鳴き声を覚えた鳥だよ！

たまに、木の幹に耳をつけて音を聞くようなしぐさ。幹の中にいる虫の出す音を聞いていると思われる。

132

コゲラは、都市公園を設計、運営するにあたり健全な生態系の指標とされている。

コゲラの生息密度が枯木や倒木の量と関連することから都市林の成熟度がわかる。

コゲラが掘った穴は鳥たちや昆虫は虫類、ほ乳類菌類などが利用する。

〈カワイー！

年中いて、愛らしく親しみやすいことから多くの人々がモニタリングを行う上での指標に適している。

コゲラが都市公園に住みつくと多くの生き物が住みよい環境をつくると考えられている。また、コゲラがいなくなると住みよい環境が維持できなくなる。

このように、生態系の中で要(かなめ)になる種を「キーストーン種」っていうんだよ！

上記のようなコゲラの重要性から、さまざまな角度で調査が行われています。例えば、「コゲラの生息には公園内の森林面積がどのぐらい必要なのか？」「枯れ木を撤去する場合と残す場合でコゲラの生息数や採食に変化はあるのか？」など。このような地道な実態調査が、豊かな都市公園作りに役立てられているのです。

ヒレンジャク【緋連雀】

江戸時代に出版された『梅園禽譜』では【赤連雀／十二紅】と紹介されているヒレンジャク。一方、色違いのキレンジャク（→p.136）は【連雀／十二黄】と紹介されています。この十二という数字は、尾羽の枚数から来ていると言われています。

← 美しい冠羽

ベージュピンク
むっちりして見える

全長約18cm

←グレー

ヒレンジャクは尾の先が赤い。黄色のキレンジャクもいる！

ヒレンジャクが好む実

ナナカマド

クロガネモチ

ピラカンサ

ノイバラ

ナナカマド、ヤドリギ、ピラカンサなどなど木の実を好む。

繁殖地

越冬地

12枚

ヒレンジャクとキレンジャクは一緒に行動することも多いよ。

世界のレンジャクの仲間の中でもヒレンジャクは、極東の限られた範囲でのみ見られる。

134

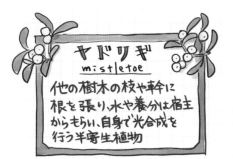

ヤドリギ
mistletoe

他の樹木の枝や幹に
根を張り、水や養分は宿主
からもらい、自身で光合成を
行う半寄生植物

ねばりけのある
透明な果肉

キレンジャク

樹木の高い位置に根を張る

メリット 多くの光をうけ、光合成を
行いやすい

デメリット 自力で樹上に到達するのが困難

種子は消化されず、フンと一緒に
おしりから出る

日本では、レンジャクの仲間が
ヤドリギの実を好む。
ヨーロッパでは、ヤドリギツグミが
この実を好む。

ベトベトが糸の
ようにのびて
枝にくっつく

それぞれの地域に
ヤドリギの種子散布に
貢献する鳥が
存在している！

ヤドリギツグミ

枝にからみついた種が
その後、発芽につながる

ヒレンジャクは神出鬼没！ 食べ物を求めて群れで移動しているの
で、歩き回って探すのは難しいです。しかし、ヤドリギやナナカマ
ドの実が大好きなので、まずはそれらの実を見つけて待っている
のがいいと思います。特にヤドリギは、ヒヨドリも少し食べますが、
ナナカマドほど他の野鳥に人気がないので狙い目です！

コアラの比べてみた!

・ウミネコとカモメとセグロカモメ・

カモメの仲間は
すごく似てるネ!

目が黄色

小さめなクチバシ
斑はない

赤斑

赤と黒

尾羽に
黒い帯

黄 →

← 黄

体が大きい!

ウミネコ　全長約47cm

カモメ 全長約45cm

ピンク→

セグロカモメ
全長約60cm

・カワウとウミウ・

日本の鵜飼(うかい)では
ウミウが活躍しているネ。

ほおの白い部分が目より下に
下がっている

白い部分がキュッと目より上に上がる

とがらない

とがる

カワウ
全長約82cm

ウミウ
全長約84cm

カワウより
ガッシリした
体型

・ヒレンジャクとキレンジャク・

黒い過眼線は
冠羽まで届かない

過眼線は冠羽に
届く

キレンジャク

ヒレンジャク
全長 約18cm

飛来数が
多い年と少ない年が
あるよ!
多い年は「あたり年」と
言ったりするよ!

ロウ状の
突起物が
ある!

赤い

全長約20cm

黄色い

分布が局地的なヒレンジャクとちがい
キレンジャクは北半球の広い地域に
分布している。

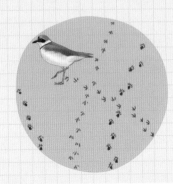

野鳥たちのフィールドサイン

海辺を歩いていたある日、小さな野鳥の足跡を見つけました。後指の跡がないことや、右へ左へ歩き回っていることからチドリの仲間だと思われます。そして、その近くには小さな哺乳類の足跡も。微かに5本指が確認できることから、テンの仲間かもしれません。「チドリはテンに狙われていた？」「いや、もしかしたらチドリが歩いた後を偶然テンが歩いたのかも？」そんなことをいろいろ想像していると、なんだかワクワクしてきます。

野鳥の姿が見られないときでも【フィールドサイン（生活痕）】を見つけることはよくあることです。ここにいたんだと考えるだけで楽しい発見ですし、日や時間をおいてもう一度同じ場所に来ると、その鳥に出会える可能性があります。

一番見つけやすいのはフンだと思います。地面に落ちていたり木の枝についていたり。フンの量が多いと、巣の近くや餌場など野鳥の生活に身近な場所だといえます。岸壁にフンが付着していたらハヤブサの巣の跡かもしれないし、川に張り出した枝にフンが溜まっていたらカワセミの狩場かも。

羽根が落ちていることもよくあります。先日はカケスの羽根を拾って嬉しくて、思わず小躍り！ また、食事跡もたまに見かけます。哺乳類の毛や鳥の羽毛が散らかっていたり、木の実のカスが散らかっていたり。オオタカかな？ ヒヨドリかな？ と考えていると、まるで野鳥と同じ目線で自然を見ているような気分になるから不思議です。

見えなくてもそばにいる
夜のバードウォッチング

鳥に詳しくなるにつれ「見ることだけが
バードウォッチングじゃない」と感じる
ようになりました。ほとんどの鳥が夜は
寝ていますが、逆に活動的になる鳥たち
もいます。夜の水族館があるのだから、
夜のバードウォッチングもあっていいじ
ゃない！　そんな思いで、夜だからこそ
楽しめる野鳥のお話をしてみようと思い
ます。

ホホッ

ホホッ ホホッ

アオバズク

キョキョキョ

海は見たことなくても
一度な耳にした
ことがある声かも！

ヨタカ

甲高い↓

キュー
キュー

キャー
キャー
キャー

街中でも
よく聞く鳴き声

ハクビシン

ススス…

シジュウカラ
顔を自らの洞に
うずめて眠っている

クヮークー！
クヮー！

ゴイサギ

ゴイサギの鳴き声がきこえると
水辺の環境があることが予測できる

グググッ グググッ

トノサマガエル

グ
ル
ル
ル
ル
ル

ムササビ

↑
この声がきこえる森には
ムササビの巣となる大木
が多い

トッキョキョカキョク〜

ホトトギスは夜も活動する
ことがある

ヒョー ヒョー

トラツグミ

オシドリは
樹上で眠る

Zzz

夜に耳をあませてみるだけで
それはもう立派な
「夜のバードウォッチング」

ヨタカ【夜鷹】

夜のバードウォッチングで、私が一番推したいのがこのヨタカです。夏の夜といえば多くの日本人がヨタカの鳴き声を思い出すのではないでしょうか？　いや逆です。ヨタカの鳴き声を聞くと、夏の夜を思い出すのです。

キョキョキョキョキョ

繁殖のため
日本にやってくる夏鳥

← 木肌のような
色柄

夜行性 全長29cmほど

巣材を使わず地面に直に営巣
でも場所にはこだわりあり!!

林やヤブが
近い →

木などにおおわれていない
空が開けた場所やケ

草などがあまり
生えていない！

水はけがいい！

山間部や山の稜線の近くなどが条件にあてはまる。

立地にはちょっとウルサイタイプだね！

顔はところどころミソをつけたように
まだらで、くちばしはひらたくて
耳までさけています。宮沢賢治
〈よだかの星〉

← 顔のまわりにヒゲ
虫を捕えるとき
アミの役目となる！

あくびをすると
顔の大部分が
口になる！

夜、この大きな口をあけて
飛びながら昆虫を捕って食べる。
（ガやコガネムシなどいろいろ食べる）

夜鷹 (ヨタカ)

飛ぶ姿がタカに似ており
夜に活動する。(夜行性)
そのため、この名がついたが
タカの仲間ではない。

翼の先端の羽4枚に
白い斑が入り、特に長い。

目がとても大きい

オスはノドが白い

ヨタカは夜の行動に特化した
目の構造をもつ。
目の内部の上半分には、
タペタム(輝板)とよばれる反射板が
あり、わずかな光を増幅させて
見ることができる!

夜行性の ほ乳類の目が、夜に光って見えるのは、
タペタムがヘッドライトなどの光を反射しているからだよ

映画やドラマの環境音でも、よくヨタカの鳴き声を聞くことがあり
ます。それだけ「キョキョキョ」という独特の鳴き声が、夏の夜を
象徴する「音」なのだと思います。しかし、ここ最近、ヨタカの鳴
き声を聞く機会は減っています。私にとっての【未来に残したい日
本の音】。夏の夜道の大切な音です。

ゴイサギ【五位鷺】

ある朝、実家で目覚めると「大変！ 庭にペンギンが来てる！」と母が大騒ぎしていました。もちろんそれは、ペンギンではなくゴイサギです。私の実家の庭には池があり、そこにいる魚を狙ってゴイサギがやってきていたのです。

グァ〜ク グァ！

夜ガラスとも呼ばれる鳴き声

夜行性で飛ぶときによく鳴く。

2〜3本の飾り羽 4オメ上のあかし！

青味が強いグレー

目は赤い

オレンデがかかった黄色

湖沼、池、河川、海岸など水辺付近に生息している。

全長 約63cm

じーっと水面をにらみタイミングを見計らい魚やカエル、ザリガニなどを捕食。

にてるかも

昔、上野動物園のペンギン舎にペンギン用の魚を狙って現れるゴイサギが話題になったエ！

142

実家で寝ていると、ときどきゴイサギの鳴き声が聞こえてくることがありました。「あ！　近くに狩場があるのかな？」とワクワクしていましたが、朝、庭にいたことを考えると、実家の池で夜通し狩りをしていたのかもしれません。母いわく「他のサギはすぐに逃げるのに、この鳥はなかなか逃げない」のだそうです。

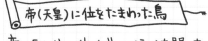

帝(天皇)に位をたまわった鳥

帝に「五位の位」(ごいのくらい)を賜ったのでゴイサギと名が付いたといわれている。平家物語には、サギが捕らえられたとき「帝の命令だ」ときいてひれ伏した行動に帝が感心したと記されている。

夜行性のゴイサギ。
昼間はじーっとしてるから
逃げなかっただけなのかも？

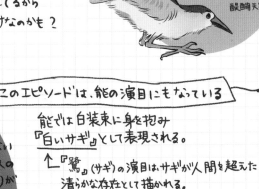

五位を
あげちゃう！

ソレ、
オイシイ？

ありがとう、
みかどさん。

醍醐天皇

このエピソードは、能の演目にもなっている

能では白装束に身を抱み
『白いサギ』として表現される。

↑『鷺』(サギ)の演目はサギが人間を超えた
清らかな存在として描かれる。

サギ、のってる

白髪

白装束

←面はつけない
子供や老人の
シテ(演者)が
演じる

ソレ、
コサギかもよ？

ちなみに五位というのは
天皇に直接会うことができる
とてもエライ位なんだよ！

ゴイは
スゴイ！

143

アオバズク【青葉木菟】

青葉の茂る頃に日本へやってくるので【アオバズク】と呼ばれるフクロウの仲間です。この鳥の鳴き声も、夏の夜のバードウォッチングには欠かせない！　鳴き声のする木の上をよーく見てみると、見つけることができます。

目が黄色くギョロッと目立つ

胸の模様は大きなドットのように見える

ミサゴの足指と同じく可動式

夕暮れ時や明け方、月の明るい夜などに活動する「薄明 薄暮性」(ハクメイハクボセイ)

甲虫類や大型のがなどを好む。公園の灯りや街灯などに集まる昆虫を目当てにやって来ることもある。

樹の洞に営巣するため高樹齢の木がある場所を好むが近年そのような木が減ったため大木が残る社寺林などに生息することが多い。

フクロウ目フクロウ科アオバズク属

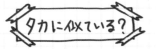

タカに似ている？

アオバズクの仲間を英語で
-Brown Hawk-Owl-
直訳すると「茶色いタカのフクロウ」。
一般的なフクロウの仲間と比べ
顔が平たくなく 飛ぶ姿が
タカに似ていることが由来とか。

ホッホッ
ホッホッ

ホッホー
ゴロスケ
ホッホー

アオバズク
英名は Northern
Boobookという。

フクロウ
Ural Owl

鳴き声比べ

アオバズクは、2声ずつくり返し鳴き
2声めの「ホ」の方が少し大きめ。
フクロウは、アオバズクよりも
低く大きな声で鳴く。

フクロウの仲間にもいろいろな鳴き声があり、その中でもフクロウ
という名の鳥は「ホーホー・ゴロスケホッホー」と鳴きます。そし
てアオバズクは「ホッホッ」と鳴きます。夜行性であるフクロウの
仲間はなかなか姿を見ることができませんが、鳴き声の違いを知っ
ていると聞き分けができて楽しくなります。

トラツグミ【虎鶫】

夜のバードウォッチングは
想像力が大切。姿が見えな
いからこそ、鳴き声を聞く
といろいろなイメージが湧
いてきます。昔の人も夜の
バードウォッチングをして
いたようで、このトラツグ
ミの声は、さまざまな文献
に登場します。

鳥とは
思えない声→

ヒョー
ヒョー

全長約30cm
ドバトくらい

たまに体をゆするような動作が見られる。
まるで音楽のリズムにのるように
ノリノリでダンスしてるみたいでカワイイ♥

顔は固定

トラ柄

時々地面を
つついて
ミミズなどを
捕食

これは振動を利用し驚いたミミズの
位置を探っていると考えられている。

主に山地の林などに生息。
冬になると低地の里山や
公園などでも見られる。

下側から見ると、翼に白いライン

アニメの名探偵コ●ンの森や山の
シーンでは、夜が更けるとよく鳴いてるヨ

↖見ためはコアラ！頭脳はオトナ！

奴延鳥 (ぬえどり)

万葉集には、奴延鳥 (ぬえどり) という名で
登場する。
奴延鳥が詠まれた歌は、片想いや逢えない
切なさを詠んだ物悲しいものが多い。
夜にこの声を聞いて、思いをはせたのだろう。
奴延子鳥 (ぬえこどり) と表現されるなど
この鳥が、親しまれていたこともうかがえる。
＊「子」は親しみを表す接尾語

鵺 (ぬえ)

鵺というと、現代では妖怪の名として
知られている。
猿の顔、タヌキの胴、虎の手足、蛇の尾を
もつ妖怪『鵺』。
平家物語に登場した妖怪で、名はなく
ただ声が鵺 (トラツグミ) に似ていると
記されている。
これが妖怪の名として定着した。

昔の人も眠れない夜にトラツグミの
声をきいて、いろいろ想像したのかもネ

あるキャンプの晩、雨がしとしとと降っていて、うまく眠りにつけ
ないでいました。すると「ヒョーヒョー」と鵺の鳴き声がどこから
ともなく聞こえてきます。じっとり重くなったテントの屋根が、今
にも私を潰してしまいそうです。「ヒョーヒョー」でも大丈夫。あ
れは可愛いトラツグミの声なのですから。

野鳥を知るためのバードフィーリング

海外には【ネイチャー・ジャーナリング】という考え方があります。自然を見て、考えて、記録する。そうすることで、より深く自然を理解でき、豊かな学びを得ようとする考え方です。一方、日本には古来より「四季」という言葉で表現されるように、季節の移ろいを楽しむ文化があります。また「侘び寂び」という言葉もあり、自然が移ろう姿から美を感じようとする姿勢が培われてきました。

しかし、海外から科学という概念が入ってきた明治時代以降、こういった日本の文化は徐々に弱まっているようにも感じます。私は、科学を否定したいのではありません。科学は、物事を細分化させ論理的に真実を積み上げて

いく一つの素晴らしい方法です。しかし、文学や詩など一般的に文系と呼ばれる分野が、自然を理解する上で重要な要素だとも感じます。

そこで私は【バードフィーリング】という考え方で野鳥観察を楽しんでいます。フィーリングという言葉には「感じる」という意味の他に「知る」という意味も含まれているからです。鳥を見て、考えて、記録する。そして鳥の存在を感じたり鳥のことをもっと知っていく。もちろん科学的な知見も取り入れながら、鳥のありのままの姿を理解していく姿勢でいる。私は、日常生活の中に鳥の存在を感じることが、野鳥観察の最大の魅力だと感じています。

PART

3

人と野鳥の
未来のために

人と野鳥の
未来のために

オオワシ
(VU)

私たちは、mililie というサイトを運営しています。開設したきっかけは、観察の中で野鳥が減っていると実感したことです。そしてサイト運営を通じて、多くの専門家やボランティアの方々が、野鳥の保護活動を行っていることも知りました。この本の最後の章では、3種の鳥をピックアップし、その鳥たちを救うために行われている活動についてお話しします。

3章で紹介する3種
と
選んだ理由

・コアジサシ・(VU)
野鳥減少の理由は多岐に渡るが、この本では『湿地』をキーワードに選んだ。この身近な鳥も湿地を必要とする絶滅危惧種。

・クロツラヘラサギ・(EN)
野鳥の減少を食い止めるには多くの人の理解・協力が不可欠。この鳥を例に国境を越えた保護活動の軌跡を紹介する。

・コウノトリ・(CR)
日本の近代化と反比例するように数を減らしたコウノトリ。野生絶滅からの復活は人と野鳥のこれからを考えさせてくれる鳥。

絶滅が心配される鳥の一例

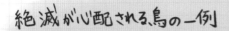

イヌワシ(EN)
英名のゴールデンイーグルは頭部が金色に
見えることが由来。森林減少が原因で
深刻な危機に。

アホウドリ(VU)
白さが美しい大きな鳥。
つぶらな瞳が魅力。羽毛目的の
乱獲が原因で絶滅の危機に。

シマフクロウ(CR)
北海道にすむ世界最大
のフクロウの仲間。
森林伐採やダム建設など
の影響を受け減少。

カンムリウミスズメ(VU)
陸に上がることはめったにない
海に暮らす小さな鳥。
釣り客などによる繁殖地の
撹乱などが減少原因。

レッドリストのカテゴリー(危険度)の意味

絶滅危惧IA類(CR)	近い将来野生での絶滅の危険性がきわめて高い種
絶滅危惧IB類(EN)	近い将来野生での絶滅の危険性が高い種
絶滅危惧II類(VU)	絶滅の危険が増大している種
	(上記を総称して絶滅危惧種とよぶこともある)
準絶滅危惧(NT)	生息条件によっては絶滅危惧に移行する可能性がある種

コウノトリ【鸛】

東アジアのごく狭い地域に
のみ生息するコウノトリ。
日本では一度野生での絶滅
が確認され、現在でも環境
省レッドリストでは絶滅危
惧種に指定されています。
とても大きな鳥で、真っ白
な翼を広げて飛ぶ姿が雄大
です。

クラッタリング

クチバシを大きく叩き合わせ
カタカタと音を出す。
これは威かくや
コミュニケーションの意味

時々ぐいっと
首を反らす

目のまわりと
口元は赤い

ここが黒いのでタンチョウ(ツル)と
まちがう人が多い

河川、湖沼、水田などに
生息している。
「円山川下流域」
「渡良瀬遊水地」
(共にラムサール条約湿地)
などが繁殖地として知られる。

鳥類の多くは
カギ爪をもつ

カギ状

←サンゴ色

人間の爪みたい!

コウノトリは
霊長類(れいちょうるい)に
多い平爪でとても珍しい

平爪
(ひらづめ)

全長112cmほど

イラストや絵画では、まちがって
カギ爪で描かれているものも多い

152

平安時代には、ツルと区別することなく「たづ」と呼ばれていたコウノトリですが、江戸時代になると「かん」や「こう」などと呼ばれ区別がはっきりしていたようです。江戸時代の生息については「南北の諸国こふあり」や「人知り易し」と記されていることから、身近な鳥だったことがうかがえます。

コウノトリ絶滅

1877年頃頃までは日本全国で見ることができた。しかし、約20年後には半数の地域でしか見られなくなった。

1957 兵庫県と福井県の一部のみでしか見られなくなる
1966 豊岡市のみでしか見られなくなる
1971 最後の1羽を保護 その後死亡

日本のコウノトリの野生絶滅

絶滅の主な原因

水質汚染
農薬
乱獲
湿地の喪失
営巣林の減少

復活への道のり

野外での巣立ちは46年ぶりだった

1985 中国や旧ソ連からもらい受ける
1988 多摩動物公園が国内初の人工繁殖に成功
2005 人工繁殖種の野生放鳥に成功
2007 放鳥個体による初の野外繁殖を確認

2023年12月末の時点で371羽に!

人間が原因で絶滅してしまったコウノトリ。でも人々の努力でまた復活したんだね。

水鳥と湿地への理解

私は野鳥観察を始めるまで【湿地】という言葉を意識していませんでした。しかし、多くの野鳥や動植物が湿地を必要としていることを知りました。その過程で、人にとっても湿地は大切な存在だと気がついたのです。

湿地とは、海水、淡水問わず常時または季節的に水をたっぷりとふくむ土地。また、水でおおわれた土地。

例えば湿原、湖沼、砂浜
河川、水田、干潟、サンゴ礁など

● ラムサール条約 ●

1971年イランのラムサールで開催された国際会議で採択された条約。この条約は、国際的に重要な湿地と動植物の保全を目的に各国がとるべき措置を定めている。2023年現在72の国と地域が参加している。

ラムサール条約の正式名称：特に水鳥の生息地として国際的に重要な湿地に関する条約

湿地はしばしば不要の土地とみなされ、埋め立てなど別の用途に使われる。1900年以来世界の湿地の64%が失われたことがわかっている。

● 保全と再生 ●
鳥と人の生活を支える重要な生態系として、湿地の保全と再生を呼びかける。

ラムサール条約 3つの柱

● 賢明な利用 ●
湿地の生態系を維持しつつそこから得られる恵みを持続的に活用すること。

● 交流と学習 ●
保全や賢明な利用のために、人々の交流や教育普及啓発をすすめる。

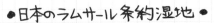

● 日本のラムサール条約湿地 ●

日本は 1982年に加入し、そのとき釧路湿原が
最初の登録湿地となる。
最近では、2021年に「出水ツルの越冬地」が加わる。

現在全国に
53ヶ所

● 私たちのくらしを支える湿地 ●

湿地は、私たちのくらしを支えてくれています。例えば「食料となる植物や
動物を育む」、「汚染物質の浄化」「飲用水の供給」など、私たちが生きて
いく上で必要不可欠な役割を担っているのです。

現在日本には、湿地固有の保護法制度がありません。湿地は、自然
公園法や生物多様性基本法などを適用し、間接的に守られているに
すぎないのです。また、ラムサール条約というブランドから、人の
往来が増え生態系破壊につながっているという指摘もあります。安
心できる未来のために考え続けていくことが必要だと感じます。

クロツラヘラサギ【黒面箆鷺】

私の地元の福岡では、毎年秋ぐらいになるとクロツラヘラサギの飛来が新聞で取り上げられます。子供の時から「特別な鳥なんだな」と感じていたのですが、実際に目の当たりにすると、その迫力は想像以上で驚きました。

サギと名がつくがトキの仲間

主に九州以南にやって来る冬鳥

サギ類とはちがい首をのばして飛ぶ

翼の先が黒いと若鳥

黄色がかる

繁殖羽（夏）

黄色↗

目の先の色は個体差あり

干潟や河川、河口、湖沼など水辺に生息

全長76cmくらい

黒くてガッシリ！

並ぶとカワウと同じくらいのサイズに見える！

東京に引っ越してからは葛西海浜公園（ラムサール条約湿地）でたまに見かける程度になった。

156

初めてクロツラヘラサギを見た時、驚くほど白く透きとおる翼に感動しました。そしてあのくちばし！　自然の中に現れた生のクロツラヘラサギの大迫力が忘れられません。あまりのインパクトに、てっきり巨大な鳥だと思い込んでいましたが、後に意外と小さいということに気づいて、二度びっくりしました。

PART 3

「子供と大人のくちばしの変化」

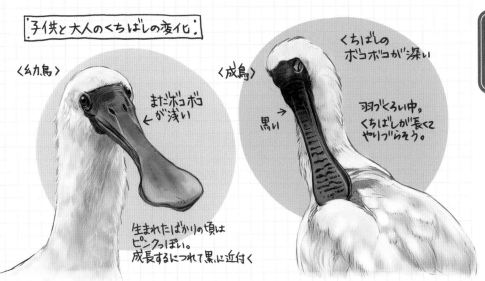

〈幼鳥〉

まだボコボコ
←が浅い

〈成鳥〉

くちばしの
ボコボコが深い

黒い→

羽づくろい中。
くちばしが長くて
やりづらそう。

生まれたばかりの頃は
ピンクっぽい。
成長するにつれて黒に近付く

「ユニークな採食方法」

なかなか顔を上げてくれない

しゃもじのようなくちばしを水中で
左右に振って魚やカニなどを
捕らえて食べる。
集団で追い込み漁のような行動を
することもある。

ごはん中ずーっと
首をふりながらパクパクしてるよ！

157

国境を越えたプロジェクト

一気に大好きになったクロ
ツラヘラサギですが、調べ
てみると絶滅危惧種という
ことがわかりショックでし
た。しかし、国境を越えた
保護プロジェクトが行われ
ていることを知り、野鳥保
護に興味をもつきっかけと
なりました。

1980年代には、世界にたった284羽まで
減っていて 絶滅寸前だった。

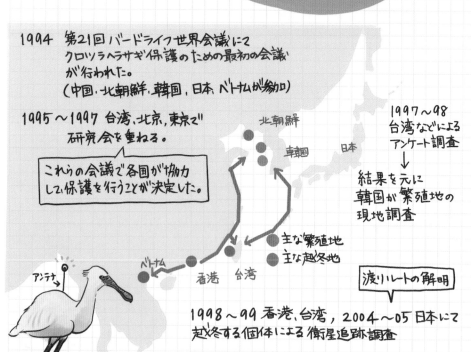

そこで 東アジアの 専門家たちが
この鳥を 救おう！と 立ちあがる。

1994　第21回 バードライフ世界会議にて
　　　クロツラヘラサギ保護のための最初の会議
　　　が行われた。
　　　（中国、北朝鮮、韓国、日本、ベトナムが参加）

1995〜1997 台湾、北京、東京で
　　　研究会を重ねる。

これらの会議で各国が協力
して保護を行うことが決定した。

北朝鮮　　韓国　　日本

1997〜98
台湾などによる
アンケート調査

結果を元に
韓国が 繁殖地の
現地調査

● 主な繁殖地
● 主な越冬地

ベトナム　　香港　台湾

アンテナ

渡りルートの解明

1998〜99 香港、台湾、2004〜05 日本にて
越冬する個体による 衛星追跡調査

まず、現状を正しく把握することが
保護活動の大切な一歩だね！

158

● クロツラヘラサギ保全の主な取り組み ●

保全活動
・保護区の制定
・繁殖のため人工島の設置
・人々への啓蒙
　など各国が尽力している

個体数調査
香港バードウォッチング協会主催により
東アジア各国、地域が協力し、毎年1月に
大規模個体数調査を行っている。

この調査の結果、個体数が
増えているというデータが出ていることから
東アジアで最も保全に成功した例
と言われている。
2023年の調査では前年より
471羽増加し、6633羽が確認された。

クロツラヘラサギ
（個体数）

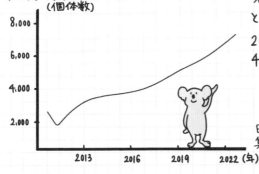

8,000
6,000
4,000
2,000

2013　2016　2019　2022 (年)

日本野鳥の会公表「世界一斉個体数調査」
集計結果をもとに作成

順調に見える保護活動ですが、いまだに絶滅危惧種であることに変わりはありません。また、越冬地の多くは埋立事業の対象であり、生息環境が改善されたとは言い難く、繁殖地も含め生息地が集中していることも懸念材料です。クロツラヘラサギが利用できる環境を増やし、安定させることがこれからの課題です。

PART 3

コアジサシ【小鯵刺】

夏の海といえば、私はコアジサシが一番に思い浮かびます。繁殖のため夏に飛来するコアジサシは、照りつける太陽や入道雲がすごく似合う身近な鳥です。まるで技を見せ合うように、あちらこちらで狩りをする様子も見事。

翼上面はうすいグレー

体のわりに大きな翼！

額は白い

黄色くて先が黒い

全長 22 − 28cmくらい
翼をなげると 50cmほどになる

ホバリングで水面近くの小魚を狙い、一気にダイビングして獲る！見ていると、時々失敗する。

何回も何回もくり返し飛び込む

すごいスピード!!

アジサシと一緒にいることも多い
アジサシはコアジサシより
体が大きく全長約35cm

クチバシや脚は黒い

アジサシ →

コアジサシ

はやい

水田に飛びこむコアジサシも見たことがあるよ！

海岸や河川、内陸部の湖沼などで見られる。

160

・繁殖は「裸地」(らち)で行う・
植物や建築物などにおおわれておらず
土や小石がむき出しになっている土地

狩り場が近い

ある程度の広さが必要

草が残っていない

浅いくぼみを掘るか
小石などを集めて
とてもカンタンな巣を作る

PART 3

ヒナは生まれてたった
2〜3日で歩いて
巣から出ていく。
そして外敵や直射日光
から身を守るため
自ら草や石の陰に
身をひそめる。

こっち!
こっち!

あっ、うちのこ!

親がエサを運んでくると
鳴いて自分の場所を知らせる。

しっかり者だネ!

ヒナが育って幼鳥になる頃には、
狩りの練習にはげむ姿が観察できる。

頭の色はうすい

くちばしは
黒っぽい

161

裸の土地も大切な繁殖地

青い海と空。そして広大な真っ白い砂浜。日本人にはお馴染みの夏の光景だと思いますが、最近は砂浜がどんどん減っています。そして、砂浜をはじめ、裸地を利用するシロチドリやコアジサシといった鳥たちにも影響が出ています。

コアジサシは、日本以外でも繁殖しているがその情報は少なく、日本は重要な繁殖地の1つと考えられている。

集団繁殖を行う

現在、環境省のレッドリストで絶滅危惧種に指定されている。

繁殖環境が年々悪化している。本来は自然発生するはずの裸地の減少が著しく、一時的に出現する代替環境で繁殖するケースが増えた。

.外敵.
猫
カラス
猛きん類 など

.繁殖地への人の侵入.
カメラマン
キャンプ
釣り人
調査・研究
水辺のレジャー
など

繁殖を阻害する要因

裸地の減少理由

.その他.
飛行機
ドローン
など

.都市計画.
護岸工事
ダム建設
埋立
裸地の緑地化
など

↑
調査の結果
無事に巣立つことができるのはたったの10%未満

コアジサシの保護、特に繁殖地の保全については、多くの人々の理解と協力が要となります。
そのため、一般の人々へも広く認知してもらう工夫をする必要があります。

KEEP OUT

自然環境の保全
繁殖実績のある場所はもちろんない場所も出来る限り保全する

コアジサシの
繁殖地保全の
3つの考え方

事業者の理解
繁殖してしまったときの対応やそもそも初めから繁殖させない設計など、関係者への理解が求められる。

人工繁殖地をつくる
現在地上の土地利用と建物の屋上利用の2通りが考えられている。

人と野鳥の未来のために

「長い目で見れば、自然が白旗を上げたとき、私たちも皆敗北する」

ニコラ・パトッキ
（ボッレ・ディ・マガディーノ自然保護区財団　代表）

　この本の最後の２ページは、絶滅危惧種についてお話しさせていただきたいと思います。

　私が野鳥観察を始めてから20年以上が経ちました。初めは知らない鳥を見つけることが楽しくて【見た野鳥リスト】をつけていたことを思い出します。そして、いろいろなことを勉強していくうちに、鳥のことをもっと知りたくなって観察ノートもつけ始めました。毎日が新しい発見で「なぜだろう？」「面白い！」と夢中で勉強する日々。

　しかしある時、鳥が明らかに減少していると感じ始めたのです。「もっとチドリの集団飛翔は大きかった気がする」「昔に比べて、冬に飛来するカモの数が減っている」このように、徐々に減っていく野鳥たちの変化に気づき始めました。

　『鳥は地球の健康を測る優れたバロメーターである』とよくいわれます。これはなぜかというと、野鳥は世界中に広く分布し、調査が比較的簡単で、環境の変化にとても敏感だからです。鳥の研究結果を分析すると、生態系のより広い傾向を把握できるといわれています。また、世界中に多くの野鳥愛好家がいて、情報が集まりやすいというのも理由の一つかもしれません。つまり、鳥の生息数や生息域などの変化を注意深く観察していれば、地球が今どのような健

康状態にあるかわかるというわけです。

　現在、IUCNの国際的なレッドリストによると、世界の鳥類の約半数の種が減少していることが示されています。増えていると示されている種はわずか6％で、身近で一般的な種でも、場合によっては急速に減少しているのです。そして、絶滅危惧種は1,409種。これは全鳥類の約12％に相当し、8種に1種が絶滅の危機だということになります。日本では98種が絶滅危惧種に指定されており、おおよそ7種に1種が絶滅の危険があるといわれています。

　なぜ鳥が減っているのか？　理由としては、世界的な農業の拡大や集約化・森林伐採・侵略的外来種・乱獲や狩猟・気候変動などが主要な理由だと考えられています。つまり、人間の活動が野鳥を圧迫しているということです。

　私たち人間は、自然がもたらす多大な恩恵の上で生きています。地球という環境が健全ではなくなったら、私たち人間も生物として生きてはいけません。そして、鳥たちは私たちに希望を与えてくれています。保護活動がうまく行ったとき、個体数が回復したとき、種が絶滅から救われたとき、それは確実に自然環境が回復していっているということを教えてくれているのです。

　鳥や自然は、人間の活動に大きく影響を受け生きています。そして、私たち人間は自然に依存して生きています。【人と野鳥の未来のために】私はどうしてもこのことを伝えたくて、この本の最後にこの章を入れさせていただきました。

ハヤブサ（VU）

索引

参考文献

●論文

Bildstein KL (1992) Causes and consequences of reversed sexual size dimorphism in raptors : the head start hypothesis. Journal of Raptor Research, 26: 115-123

Gondo M, Ando H (1995) Comparative histophysiological study of oil droplets in the avian retina. Japanese Journal of Ornithology, 44: 81-91

Kacelnik A (2009) Tools for thought or thoughts for tools?. PNAS, 106: 10071-10072

Kane SA, Fulton AH, Rosenthal LJ (2015) When hawks attack: animal-borne video studies of goshawk pursuit and prey-evasion strategies.. Journal of Experimental Biology, 218: 212-222

Kasahara S, Katoh K (2008) Food-niche differentiation in sympatric species of kingfishers, the Common Kingfisher Alcedo atthis and the Greater Pied Kingfisher Ceryle lugubris.. ORNITHOLOGICAL SCIENCE, 7: 123-134

Kawate Kunitake Y, Hasegawa M, Miyashita T, Higuchi H (2004) Role of a seasonally specialist bird Zosterops japonica on pollen transfer and reproductive success of Camellia japonica in a temperate area. Plant Species Biology, 19: 197-201

Morrison J, Chapman W (2005) Can urban parks provide habitat for woodpecker?. Northeastern Naturalist, 12: 253-262

Nishida Y, Takagi M (2019) Male bull-headed shrikes use food caches to improve their condition-dependent song performance and pairing success. Animal Behaviour, 152: 29-37

Perez-Camacho L, Martinez-Hesterkamp S, Rebollo・Gonzalo S, Garcia-Salgado (2018) Structural complexity of hunting habitat and territoriality increase the reversed sexual size dimorphism in diurnal raptors. Journal of Avian Biology, DOI:10.1111/jav.01745

Potier S Lieuvin M, Pfaff M, Kälber A (2020) How fast can raptors see?. Journal of Experimental Biology, 223: jeb209031

Siitari H, Honkavaara J, Huhta E, Viitala J (2002) Ultraviolet reflection and female mate choice in the pied flycatcher, Ficedula hypoleuca.. Animal Behaviour, 63: 97-102

Teschke I, Cartmill E A, Stankewitz S, Tebbich S (2011) Sometimes tool use is not the key: no evidence for cognitive adaptive specializations in tool-using woodpecker finches. Animal Behavior, 82: 945-956

Tornick JK (2012) An investigation of non-spatial cognitive abilities in an asocial corvid, the Clark's nutcracker. University of New Hampshire, Doctoral Dissertations 670

Viitala J, Korpimaki E, Palokangas P, Koivula M (1995) Attraction of kestrels to vole scent marks visible in ultraviolet light. Nature, 373: 425-427

青木薫乃，倉本宣 (2015) 枯れ木の量が異なる 2 つの都市緑地におけるコゲラの採食木の特徴．自然教育園報告，46: 73-91

石田健 (1986) 植生断面図によって評価した森林の空間構造と鳥類の多様性．東京大学農学部演習林報告，76: 267-278

今村史子，城野裕介，徳江義宏 (2012) 都市近郊域におけるコゲラの生息環境の評価．Ecology and Civil Engineering, 15: 91-99

植田睦之 (2012) オナガは好適な営巣場所の有無をもとにツミの巣のまわりに営巣するかどうかを決定する？．BirdResearch, 8: A19-A23

上田恵介，樋口広芳 (1988) 個体識別による鳥類の野外調査．Strix, 7:01:34

栗田英治，嶺田拓也，石田憲治，芦田敏文，八木洋憲 (2006) 生物・生態系保全を目的とした水田冬期湛水の展開と可能性．農業土木学会誌，74: 17-21

黒沢令子，樋口広芳 (1993) ササゴイ Ardeola striata のまき餌漁の種類とみられる地域の特性．Strix, 12:01:21

小林哲 (2012) 小鳥のさえずり学習の神経機構：大脳基底核経路と強化学習モデル．比較生理生化学，29: 58-69

外村剛久，宮下清栄 (2014) 景観生態学手法による中分解能衛星画像を用いた水と緑の景観パターンの相違がエコロジカ ルネットワークに与える影響―キツツキ科の小型種をキーストーン種とした 5 都市の比較．環境情報科学 学術研究論文集，28: 77-82

竹岡敬和 (2014) 青い色を示す鳥の羽を模倣した角度依存性のない構造発色生材料．日本ゴム協会誌，87: 226-230

土山明，宮脇律郎，宮島宏，長瀬敏郎，豊遥秋，坂野靖行，土谷信高，下林典正 (2017) 日本鉱物科学会の国石選定事業と国石「ひすい」．岩石鉱物科学，46: 108-115

成田章 (1999) ウミネコのつがい交尾とつがい外交尾．Strix, 17: 101-110

林健一 (2018) 地域ブランド化による湿地の賢明な利用の促進．日本地域政策研究，26: 20-27

樋口広芳 (1976) ヤマガラの行動圏と番の相手．日本鳥学会誌，25: 69-82

久井貴世 (2019) 江戸時代におけるツルとコウノトリの識別の実態：博物誌史料による検証．山階鳥学誌，50: 89-123

藤原宏子，佐藤亮平，宮本武典 (2004) 鳥のさえずり：音声学習・知覚の脳内神経機構．比較生理生化学，21: 80-89

本間幸治 (2016) スズメの水浴び・砂浴び行動．日本鳥学会誌，66: 35-40

松岡茂，小高信彦，小高由紀子 (2014) アカゲラ Dendrocopos major の巣木と巣の特徴–札幌市羊ヶ丘における 15 年の記録–．森林総合研究所研究報告，2(431): 61-78

吉田稔，荒木田昭子，荒木田直也 (2001) 鳥類の採食排糞によるホザキヤドリギの種子散布．Strix, 19: 115-120

●書籍など

Emery N (2018) Bird brain an exploration of avian intelligence. X-Knowledge

Ichida N (2000) The conservation of the Black-faced Spoonbill. 日本野鳥の会

阿部武 (2015) コハクチョウの行動と情報伝達．日本白鳥の会

植田睦之 (2023) 日本の森の鳥の変化：キクイタダキ．BirdResearch

上田恵介 (2019) 遺伝子から解き明かす 鳥の不思議な世界．一色出版

植村慎吾 / 著 上田恵介 / 監修 (2023) 見分け方と鳴き声 野鳥図鑑 350. 世界文化社

江口和洋 (2016) 鳥の行動生態学．京都大学学術出版会

奥野卓司 (2019) 鳥と人間の文化誌．筑摩書房

叶内拓哉，高田勝 (2018) 原寸大写真図鑑 羽．文一総合出版

叶内拓哉，水谷高英 (2020) フィールド図鑑 日本の野鳥 第 2 版．文一総合出版

環境省自然環境局野生生物課 (2014) コアジサシ繁殖地の保全・配慮指針．環境省

国武陽子 (2016) 鳥が実らせる果実の話．国立科学博物館「鳥の目で見る自然展」公開シンポジウム資料

小海途銀次郎，和田岳 (2011) 日本の鳥の巣図鑑．東海大学出版会

ジュリア・シュローダーほか / 著 鷲谷いづみ / 訳 (2021) 生態学大図鑑．三省堂

杉本圭三郎 (1982) 平家物語 (四)(五). 講談社学術文庫

陳湘静，林大利 / 著 今泉忠明 / 監修 牧高光里 / 翻訳 (2023) 鳥類学が教えてくれる「鳥」の秘密事典．SB Creative

中司由起子 (2017) 鷺．銕仙会 ～能と狂言～

日本クロツラヘラサギネットワーク事務局 (2014) Black-faced Spoonbill アジアを繋ぐクロツラヘラサギ．日本クロツラヘラサギネットワーク

日本野鳥の会 / 編 上田恵介 / 監修 (2021) 日本野鳥の会のとっておきの野鳥の授業．山と渓谷社

紀宮清子 (2003) テミンクと日本産鳥類 -C.J. テミンク『新編彩色鳥類図譜 -．山階鳥類研究所

細川博昭 (2020) 江戸の鳥類図譜．秀和システム

右高英臣 (1982) キツツキの森．あかね書房

山下景子 (2021) 万葉の鳥．誠文堂新光社

鷲谷いづみ (2018) 絵でわかる生態系のしくみ．講談社

●その他

Why is it so hard to swat a fly? BBC (https://www.bbc.com/news/science-environment-41284065)

What are fecal sacs? bird diapers, basically National Audubon Society

How birds handle hot weather　GOLDEN GATE BIRD ALLIANCE

Can Woodpecker Deterrents Safeguard My House?　the Cornell Lab of Ornithology (https://www.allaboutbirds.org/news/can-woodpecker-deterrents-safeguard-my-house/)

Goshawk Flies Through Tiny Spaces in Slo-Mo! -　BBC (https://www.youtube.com/watch?v=2CFckjfP-1E)

Northern harrier the Cornell Lab of Ornithology　(https://www.allaboutbirds.org/guide/Northern_Harrier/overview)

Ramsar ラムサール条約 (https://www.ramsar.org/)

State of the World's Birds 2022　BirdLife International (https://www.birdlife.org/papers-reports/state-of-the-worlds-birds-2022/)

地球上で一番速い生きものは？　Canon Bird Branch Project (https://global.canon/ja/environment/bird-branch/bird-column/kids3/index.html)

オオタカ識別マニュアル 改訂版　環境省 (https://www.env.go.jp/content/900491137.pdf)

カワウの保護管理ぽーたるサイト　環境省 (https://www.env.go.jp/nature/choju/cormorant/index.html)

環境省レッドリスト　環境省 (https://www.env.go.jp/press/107905.html)

クロツラヘラサギ ～生態と保全対策～　NPO 法人ふくおか湿地保全研究会 (https://www.npo-fwcrg.org/%E3%82%AF%E3%83%AD%E3%83%84%E3%83%A9%E3%83%98%E3%83%A9%E3%82%B5%E3%82%AE)

クロツラヘラサギ調査研究プロジェクト　日本野鳥の会 (https://www.wbsj.org/activity/conservation/endangered-species/bfs-pj/)

湿地：なぜ大切にしなくてはならないのか？　ラムサール条約・環境省 (https://www.env.go.jp/nature/ramsar/conv/leaflet2016/wwd2015_fact_sheet1.pdf)

全国鳥類繁殖分布調査 2016-2021 年　鳥類繁殖分布調査会 (https://bird-atlas.jp/pub.html)

多摩動物公園での初のふか　毎日新聞

鳥類標識調査 -Bird Banding-　環境省・山階鳥類研究所 (https://www.biodic.go.jp/banding/)

日本鳥類目録第 8 版　日本鳥学会

兵庫県コウノトリの郷公園 HP (https://satokouen.jp/)

ラムサール条約と条約湿地　環境省 (https://www.env.go.jp/nature/ramsar/conv/)

【 あとがき 】

この本は、1年半近くかけてじっくり
作り上げた本です。長い時は6時間会
議したことも。そのすべてがいい思い
出で、一緒に作業してくれた編集者の
今井 悠さんには、昵懇の仲と感じるほ
ど感謝しています。また、多くのアド
バイスをいただき野鳥談義に花を咲か
せた髙野 丈さん。オシャレでユーモア
のあるデザイナー細山田光宣さん。い
つ見ても素敵なデザイナー南 彩乃さ
ん。多くの方々のおかげでこの本は完
成しました。心より感謝いたします。

ココロさえずる

野鳥ノート

2024年4月30日　初版第1刷発行
2024年5月30日　初版第2刷発行
2024年9月10日　初版第3刷発行

発行人　斉藤 博
発行所　株式会社　文一総合出版
　　　　〒102-0074
　　　　東京都千代田区九段南3-2-5
　　　　ハトヤ九段ビル4階
　　　　tel. 03-6261-4105（代表）
　　　　fax. 03-6261-4236
　　　　https://www.bun-ichi.co.jp/
印　刷　奥村印刷株式会社

mililie

「自然と共に人生を豊かに」を
コンセプトに情報発信を行う。

Web site　https://mililie.com
X(Twitter)　https://twitter.com/mililie_birds/
Instagram　https://www.instagram.com/mililie.birds/
YouTube　https://www.youtube.com/@birdsmililie

YUKI（イラスト・文）

京都造形芸術大学（現：京都芸術大学）日
本画科卒。鳥をはじめ動植物のイラストを
メインに活躍。AEON MALLなどの企業冊
子を手掛ける。絵のモデルのキンカチョウ
（ニコとイモコ）と仲良く愉快に暮らす日々。

中嶋真平（文）

幼少よりピアノを学び18歳でプロギタリ
ストとなる。その後渡米。巨匠 PatMartino
に師事。CottonClub出演など N.Y で活
動。現在2枚のアルバムを英国・国内レー
ベルより発売中。鳥が好き。

【 STAFF 】

協力：髙野 丈
編集協力：志水謙祐、細田和美
音声：認定NPO法人バードリサーチ
　　　（p.106アカショウビンを除く）
編集：今井 悠
デザイン：細山田光宣＋南 彩乃
（細山田デザイン事務所）